BÉRÉNICE B.

Du même auteur :
L'ARRIVISTE

REBECCA SPRING

BÉRÉNICE B.

Éditions de LARIZONA
35, avenue Sainte Foy 92000 Neuilly

A tous ceux qui me sont chers.

CHAPITRE I

Dans quelques minutes Bérénice Barzini devrait pénétrer dans la salle du conseil. Un peu nerveuse, elle se refaisait une beauté devant la glace du cabinet de toilette attenant à son bureau.

Coup de peigne, coup de poudre, quelques tapes sur son tailleur Ungaro ; l'œil clair et vif, elle voulait être belle et soignée, pour annoncer à la presse qu'elle avait pris, la veille, le contrôle des grands magasins Clavier présidés par son ex-mari.

Douze ans de luttes, de bagarres, de chausse-trappes, de coups fourrés, de travail et de haine pour en arriver là.

Elle retourna dans son bureau et jeta un regard circulaire à cette pièce rectangulaire aux proportions majestueuses, tapissée de rayonnages sur lesquels des centaines de livres aux reliures précieuses étaient rangés comme de vrais petits soldats. Toute la production noble des éditions Barzini était là.

Son père, et avant lui son grand-père, avaient vécu

tant d'heures de leur vie, assis dans ce large fauteuil au cuir fatigué, tapis derrière cette grande table Louis XVI aux bronzes dorés.

Elle n'avait rien changé au décor lorsque douze ans plus tôt, par malheur, elle avait pris en mains le devenir de l'empire Barzini. Elle l'avait fait par instinct, pour se protéger, pour sentir leurs présences et leurs conseils.

Elle s'était enfermée là, comme dans un monastère avec près d'elle un coffret toujours fermé, dont elle seule avait la clé et qui contenait les dizaines de fiches que son père avait préparées à son intention, comme s'il avait pressenti qu'elle devrait lui succéder prématurément.

Grâce à ce trésor, elle avait réussi, mais à quel prix !

Dans deux jours, elle aurait trente-sept ans ; elle ne put s'empêcher de jeter un regard à son visage en passant devant le petit miroir encastré entre deux rangées de livres ; elle y surprit de fines ridules près de ses paupières et ouvrit tout grand ses yeux bleus pour voir si elle ne s'était pas trompée. Non, elles étaient bien là, insidieuses et serpentines, comme pour lui rappeler que la jeunesse, l'insouciance et l'enthousiasme de ses vingt ans s'étaient envolés au fil des jours, des semaines, des mois et des années passés dans cette pièce.

Elle ressentit tout à coup un étrange malaise et c'est à tâtons, en s'appuyant sur le rebord de la table, qu'elle s'assit dans le fauteuil. Elle ne put s'empêcher de poser sa tête entre ses mains et son regard fixe s'arrêta, incertain, sur la poignée cuivrée de la porte capitonnée juste en face d'elle.

Pourvu qu'elle ne s'ouvre pas, se dit-elle. Elle

appuya inconsciemment sur l'interphone qui la reliait à la salle du conseil et au salon attenant.

Elle écouta le brouhaha de la meute qui l'attendait, exacte réplique d'une horrible séance qui avait eu lieu dix ans auparavant, où vaincue, brisée, elle sortait d'un véritable cauchemar.

Elle entendait des voix qui s'entrechoquaient, parlant sur le même ton, de la catastrophe aérienne qui avait eu lieu la veille, du mariage du prince Andrew, de la guerre qui faisait rage au Moyen-Orient, et de sa victoire sur son ex-mari puisqu'enfin ils étaient divorcés.

C'étaient toujours les mêmes, agressifs et dérisoires, servant à un public naïf et crédule l'éternel repas standard dont ils ne changent que la sauce, épicée ou aigre-douce selon les cas.

Assise dans ce fauteuil, elle se mit à frotter les accoudoirs avec frénésie, elle aurait tellement voulu que Federico soit là, qu'il l'aide, qu'il la soutienne, qu'il la prenne dans ses bras et qu'il lui dise : « Tu as eu raison, ma fille chérie, c'est une bande de chacals qui cherchent des os à ronger ; mariages, enterrements, victoires ou défaites, ils sont présents, et te manipulent pour faire la une des journaux, des télés, des radios. »

Au vol, elle entendit quelqu'un dire :

— D'accord, Bérénice Barzini a gagné, mais elle ne serait rien sans son père et son grand-père, ce sont eux qui ont construit l'empire Barzini, elle n'a eu qu'à le gérer. C'est facile quand on est milliardaire.

Une voix couvrit celle-ci :

— Tu exagères, elle a réussi, personne ne peut le nier, et elle fait vivre des milliers de gens.

— Je me demande comment elle sera habillée..., dit l'envoyée d'un magazine féminin au timbre de voix caractéristique.

— Toujours avec son éternel tailleur Ungaro, une manie, je trouve qu'elle manque d'originalité.

Oh ! Federico, aide-moi. Je ne veux plus les voir, j'ai tellement travaillé depuis douze ans pour te ressembler, pour être ce fils que tu n'as jamais eu, pour que ma mère ne soit pas morte pour rien, pour que tes créations et celles de tes ancêtres survivent et se développent.

Je sais que tu ne me l'avais pas demandé, que tu m'avais laissée libre, mais je ne pouvais pas être une vaincue, il fallait que je relève le défi, que je devienne vraiment le « patron ». Maintenant que je les entends à nouveau vociférer, déblatérer, cela me paraît vain.

Pourquoi, pour qui ai-je poursuivi cette conquête, puisque toi seul étais capable d'en connaître les joies, les servitudes et les contraintes et que tu n'es plus là.

Subitement, affronter les autres, ses collaborateurs, les journalistes, les membres dc son conseil d'administration, lui paraissait un effort insurmontable.

Etrangement, en quelques secondes, cette victoire qu'elle avait tant désirée ne l'intéressait plus ; il fallait qu'elle quitte cette pièce au plus vite, qu'elle disparaisse, elle se sentait en état d'urgence, demain peut-être cela irait mieux, mais à cette minute, Bérénice Barzini n'avait de courage que pour la fuite.

Elle se mit à penser très vite, comme toujours, ses clés, son sac, sa serviette, le coffret dans la chambre forte, un mot sur son bureau pour expliquer que la conférence devait être reportée à une date ultérieure, et sans hésitation elle se glissa dans son ascenseur particulier. Au sous-sol elle se précipita vers sa voiture, jeta ses affaires à l'arrière, s'installa sur son siège, démarra et sous le regard étonné du gardien franchit en douceur le portail de l'empire Barzini !

Elle avait soudain l'impression fugitive de s'éclipser comme une voleuse, de dérober à son père sa propre vie, de l'emporter avec elle, loin, très loin, le plus loin possible de cet endroit qu'en quelques secondes elle s'était mise à détester.

A cet instant elle ne savait pas pourquoi, elle ne pouvait l'expliquer, c'était une sensation, une pulsion, un trouble, elle ressentait une souffrance physique, accrochée à son volant comme un naufragé à sa bouée ; elle avait mal partout et pourtant il fallait qu'elle arrive à sortir de cette ville, surtout ne pas flancher avant, tenir jusqu'à l'autoroute vers le sud... Encore quelques kilomètres et Milan serait derrière elle, et derrière elle aussi, peut-être son passé.

Courage Bérénice, fonce, se disait-elle, il faut que tu y arrives, c'est toi que tu veux sauver, c'est ton cœur et ton âme qui étaient en perdition, tu dois faire quelque chose pour eux, pour toi... Les yeux brouillés, elle aperçut le panneau FIRENZE 298, elle se sentit moins mal, inconsciemment elle savait où elle voulait aller, dans quelques heures elle serait enfin chez elle.

*

Bérénice arriva à San Giminiano à la fin du jour. Dieu que la campagne toscane était douce et reposante !

Il lui semblait qu'un siècle s'était écoulé depuis sa dernière venue à « Bel Soggiorno », la propriété de sa mère. C'est là qu'elle l'avait vue pour la dernière fois, il y a longtemps, si longtemps.

Je n'avais que six ans, se dit-elle en négociant les épingles à cheveux qui précédaient l'entrée du domaine, lorsqu'elle a disparu pour aller à la clinique et me rapporter un petit frère, c'est ce qu'elle m'avait dit ; mais je n'ai jamais eu de petit frère et elle n'est pas revenue.

Le gravier était rose et brillant, éclairé par les derniers rayons du soleil. Il crissa sous les pneus de la Lancia que Bérénice arrêta en douceur au pied du perron. Elle savait qu'à cette heure-là elle devrait frapper fort pour que Pietro ou Maria Baldi, le couple qui gardait la maison, vienne lui ouvrir. Jamais elle n'était venue à *Bel Soggiorno* sans prévenir.

*

Elle avait dormi comme cela ne lui était pas arrivé depuis longtemps et lorsqu'elle ouvrit les yeux, Maria était dans la chambre avec le plateau d'où s'échappait une merveilleuse odeur de café ; cette odeur si particulière de son enfance la pénétra tout entière et fit surgir de sa mémoire cette image de son père et de sa mère riant aux éclats et lui ouvrant les bras pour qu'elle vienne s'installer au milieu d'eux, en grimpant dans leur lit. Bonheur enfui, bonheur passé, cela avait duré si peu de temps. Plus jamais son père n'avait ri aux éclats, bien sûr il l'aimait, elle, sa

Bérénice, sa princesse comme il disait si souvent, mais plus jamais il n'y avait eu de joie dans ses yeux.

*

Elle avait envie d'enfouir sa tête sous les draps, de s'imprégner des parfums de lavande dont Maria usait à l'infini et qui donnaient à cette maison, mélangés au seringa, une odeur qui n'appartenait qu'à elle. Maria tira les rideaux, ouvrit les volets et le soleil pénétra joyeusement jusqu'au bas du lit. Elle s'approcha de Bérénice, lui prit la main, la caressa doucement et sans un mot quitta la pièce.

Etrange Maria, qui comprenait toujours tout, qui avait été enlevée par Pietro, à la course du Palio à Sienne il y a plus de cinquante ans, et qui gardait en elle un mystère impénétrable. Jamais elle ne lui avait parlé de ses origines. Bérénice avait appris par sa grand-mère que Maria venait d'une riche famille de Sienne, que sa mère l'avait bannie après son enlèvement et n'avait jamais voulu voir son petit-fils Andrea. « Bel Soggiorno » était devenu sa maison, et sa famille celle de Bérénice. Bien sûr, elle avait entendu quelquefois, au village, les vieilles femmes raconter l'histoire de Maria, cela lui avait semblé une légende. Elles disaient que Pietro descendait d'un ancêtre viking, qu'il était grand, mince et musclé, que des boucles brunes couraient sur son front et que ses yeux bleu marine s'étaient fixés sur Maria assise sur l'estrade à côté de sa mère et ne l'avaient pas quittée.

Elles susurraient qu'ils n'avaient pas entendu les hurlements de la foule, ni les clameurs à chaque nom prononcé par le juge lorsque les chevaux prennent place pour la course, qu'ils n'avaient pas entendu non plus le bruit du mortier qui déclenche le départ et que quatre-vingt dix secondes plus tard, quand la foule hurlait le nom du gagnant et se piétinait, Maria s'était échappée subrepticement de la tribune, était venue glisser sa main dans celle de Pietro et qu'ils s'étaient enfuis comme des fous en courant à perdre haleine.

Maria avait sûrement été très belle avec ses cheveux dorés, ses yeux noisette et sa peau satinée. Bérénice se l'imaginait très bien à dix-huit ans, courant les champs avec Pietro et s'arrêtant de temps en temps pour lui décocher un regard et un sourire plein de malice et de promesses ! Vérité ou légende, Bérénice ne se posait pas de questions, elle aimait Maria comme une mère et près d'elle elle se sentait bien.

*

Enfouie bien droite au milieu de son lit, les yeux clos, les mains posées à plat sous ses fesses, paumes contre drap, dans sa position favorite, elle se remémora sa rencontre avec Michel Clavier.

C'était à Rome, au cours d'une réception à laquelle assistait le Tout-Cinecitta et où pour la première fois elle représentait son père.

La fête se passait dans un ravissant petit palais du XVe siècle, flanqué d'un cloître à arcades soutenues par d'élégantes colonnes en pierre et situé à l'extérieur de Rome, sur la via Aurelia Antica.

Cet endroit charmant avait été restauré récemment

et servait de résidence à la star Lisa Cavendish qui tournait un film tiré d'un livre édité par son père.

Cette femme blonde et superbe portait ce soir-là une robe blanche en mousseline de soie et tandis qu'elle l'admirait une voix murmura à son oreille : « La robe vient des sœurs Gronchi, la rivière de chez Tiffany, le chèvrefeuille de Grasse et moi j'arrive de Lyon. Voulez-vous m'épouser ? »

Stupéfaite, elle tourna la tête et se trouva en présence d'un homme d'une trentaine d'années aux yeux verts impertinents, aux cheveux châtains ondulés, à peine plus grand qu'elle, élégant et dont la main venait d'agripper son bras de manière très possessive. Devant sa stupéfaction il se mit à rire et lui déclara : « C'est toujours ainsi que j'aborde les femmes qui m'intéressent, mais rassurez-vous, je ne les épouse pas toutes. »

Il l'entraîna vers le buffet et commença à lui décrire les personnes qui se trouvaient alentour : Rossano Brazzi, Gino Cervi, Giuletta Massina, Charlton Heston, le réalisateur Jack Leber qui, paraît-il, vivait avec Lisa Cavendish depuis des années mais personne n'en était vraiment sûr, le producteur Joseph Kratz et son inséparable Ida Marck, célèbre agent hollywoodien... Elle l'écoutait bouche bée et se demandait comment il connaissait tout cela. Il était sûrement dans le cinéma, mais à quel titre ? Elle brûlait d'envie de lui poser la question, toutefois, rétractée par sa timidité et ses vingt ans, elle n'osait pas.

Son comportement lui paraissait tout de même très étrange, il semblait connaître tout le monde, pourtant personne n'avait l'air de le connaître. C'est au moment où elle se posait cette question qu'un directeur de son père, Enrico Goldi, s'approcha d'eux et, tout en s'excusant auprès de son compagnon, l'entraîna dans une autre pièce.

« Enrico, savez-vous qui est le personnage avec lequel je parlais ?

– Je n'en ai aucune idée, vous savez, dans ces sortes de réceptions il y a de tout, mais je peux me renseigner si vous le souhaitez.

– Merci, Enrico, volontiers. »

Une heure après ils quittaient tous deux la soirée et c'est dans la voiture qui les ramenait à l'hôtel qu'il lui dit :

« Il s'agit de l'héritier de grands magasins français, un play-boy sans intérêt. Il s'appelle Michel Clavier, personne n'a pu me dire pourquoi il était là. »

Dès neuf heures le lendemain, un groom sonna à son appartement porteur d'un message et d'une énorme gerbe de roses. Les yeux écarquillés elle lut ces quelques mots : « Aujourd'hui 13 heures, au bar de votre hôtel. L'homme qui n'épouse pas toujours. »

Son cœur se mit à battre plus vite, elle se sentait agitée, c'était la première fois qu'un homme s'intéressait à elle, et celui-là n'était pas banal. Qu'en penserait son père ? Elle décida d'aller à ce rendez-vous même si au fond de son cœur elle n'était pas tout à fait sûre qu'il l'approuverait.

Après, tout se déroula très vite. Michel Clavier la suivit à Milan, à Gstaad, à Cannes, partout où elle allait il était là, prévenant, attentionné, chaleureux, gai, de déjeuners en dîners, de promenades en soirées romantiques. Elle se crut vraiment amoureuse et demanda à son père sa bénédiction.

Federico Barzini la donna avec beaucoup de réserves, il n'aimait pas Michel Clavier, ses renseignements sur lui n'étaient pas bons, seulement sa fille chérie était amoureuse et il ne voulait pas lui faire de peine.

La fausse idylle dura à peine un an, le temps de mettre au monde un ravissant petit garçon qu'elle prénomma Paolo en souvenir de son grand-père et que Michel appela Junior, pour faire « chic ».

Bérénice n'osa pas dire à son père que la vie avec son mari était très pénible ; elle vint seulement de plus en plus souvent à Milan et passa tout son temps dans le fameux bureau du sixième étage auprès de lui. Leur complicité ne fit que s'affirmer et, au bout de deux ans, elle se réinstalla définitivement à Milan avec Paolo.

C'est Jean-Pierre Forez, compagnon de libertinage de son « cher mari », avocat au barreau de Lyon, qui un soir où il était un peu plus soûl que d'habitude, lui fit découvrir le pot aux roses.

Elle avait fait l'objet d'un pari...

Michel s'était vanté de pouvoir épouser la femme qu'il voulait en trois mois ; deux de ses amis – dont Jean-Pierre – avaient parié une somme rondelette que c'était impossible si la femme était choisie par eux. Celui-ci, qui connaissait bien l'Italie et les Italiens, persuadé que le signor Barzini ne donnerait jamais sa fille à un étranger, l'avait désignée comme la proie. Michel avait pris le pari et il avait gagné...

Sa peine, son dégoût, sa rage, furent terribles. Elle

quitta Lyon aussitôt, sans un mot pour sa belle-famille, des petits bourgeois qu'elle n'avait pas appréciés, en laissant simplement ce message à Michel qui, comme d'habitude, était sorti faire la fête avec ses copains : « Désormais, seule Bérénice Barzini existe. Ne cherche pas à me revoir. Jean-Pierre m'a tout dit. Adieu. »

Elle n'avait que vingt-deux ans et elle se retrouvait solitaire avec un enfant, déçue, désespérée, écœurée par les hommes. Heureusement elle avait son père, Federico, celui qui ne l'avait jamais trahie et auprès duquel elle vivrait désormais avec son fils.

Etrange période de sa vie que celle qu'elle connut à ce moment-là, elle n'était plus une jeune fille, elle n'était pas une femme et elle ne se sentait pas vraiment une mère ; elle se trouvait en état d'apesanteur, par moment elle avait l'impression de se perdre, elle ne savait plus ce qu'elle voulait, ne mangeait presque rien, son père la regardait, malheureux, mais ne lui posait pas de questions ; heureusement il y avait le travail dans lequel elle se jeta à corps perdu.

*

Elle ouvrit les yeux et s'aperçut qu'elle pleurait.

J'aime ce lit, cette chambre, la couleur rosée des murs, le carrelage en marbre de Carrare et les tapis épais aux teintes pastel, j'aime le doux visage de cette femme et les bouquets de fleurs accrochés sur les murs et j'aime par-dessus tout cette envolée vers le ciel et la campagne que j'aperçois par la fenêtre ouverte presque à mes pieds. Pourquoi faut-il que je me transforme en fontaine chaque fois que je repense à cette période de ma vie ? Peut-être parce qu'elle fut la plus exaltante puisque j'ai vécu à la fois les angoisses, le chagrin, la tristesse et la richesse d'apprendre mon métier avec l'homme que je respectais par-dessus tout.

Cette intimité que j'ai connue avec mon père pendant ces années-là a été son plus précieux cadeau. J'aurais aimé lui parler de ma mère, mais je savais qu'il ne pouvait le supporter. La belle Alicia di San Maggio, cette beauté florentine dont il était amoureux fou, était passée dans sa vie comme un météore et je crois qu'il pensait que c'était lui qui l'avait tuée, puisqu'il avait voulu avoir un fils.

Son attitude vis-à-vis de Paolo était d'ailleurs curieuse. Il l'aimait et le rejetait tout à la fois, comme si sa présence ravivait sa douleur.

Il m'avait installé un bureau à côté du sien, pour que je participe complètement à sa vie et à celle de son entreprise. Parfois je jetais sur lui un regard en coulisse et je l'observais comme le chat scrute son maître, les yeux mi-clos. De lui se dégageait une force qui me fascinait, il était beau et laid à la fois, le visage buriné, les traits un peu lourds comme ces hommes des montagnes dont il était originaire, et en même temps ses manières étaient tellement raffinées, ses gestes si élégants que lorsque ses prunelles grises et son petit sourire ironique se posaient sur moi je le trouvais superbe. Federico n'était pas un homme ordinaire, il était tout à la fois « tueur » et esthète, collectionneur et indifférent, très cultivé et ignare sur certains sujets, joyeux et triste, voyageur et casanier, chaleureux et glacial, tendre et impitoyable, subtil et rustre, cela dépendait de son interlocuteur, des moments de la journée, des saisons, de la vie en fait, parce qu'il était profondément vivant. Et pourtant, quelque part, il était mort à cause d'Alicia et de son amour pour elle inassouvi.

Parfois j'avais très mal pour lui, parce que je sentais sa souffrance et que je n'y pouvais rien.

Tapie au fond de mon lit, je n'avais pas envie de connaître l'heure, me lever, me laver, m'habiller était au-dessus de mes forces. Depuis douze ans, je vivais avec une montre dans le ventre, toujours prête à monter à l'assaut, pour jouer à ma guerre, comme je le pensais parfois. C'était une bataille permanente pour être digne de mon père, de la famille qui m'avait engendrée, de cet empire qu'ils avaient bâti et auquel je ne pouvais pas renoncer ; cette idée ne m'avait d'ailleurs jamais effleurée jusqu'à hier soir. Il faut que je prenne le temps de réfléchir à ma vie, que j'essaye de comprendre ce qui s'est passé, que je me regarde face à face et que j'agisse enfin pour moi. Comme j'ai été capable de le faire toutes ces années pour les entreprises Barzini.

Choisir, décider, animer, convaincre, diriger, foncer, gagner, ces mots ont été ma colonne vertébrale, mes points de repères, mes béquilles, je devais réussir, me faire respecter, imposer ma marque, je voulais devenir Bérénice Barzini, « Le Patron ».

Depuis huit jours je l'étais incontestablement et je le savais. Fini ces phrases que je ne pouvais supporter : « Je vous présente la fille de notre grand Federico ! »

ou encore : « Voici la petite-fille du célèbre Pietro ! » Depuis hier soir, je savais qu'enfin j'existais par moi-même, grâce à ma propre réussite, parce que j'avais vaincu ceux qui voulaient notre perte et que jamais, désormais, la « une » d'un quotidien ne pourrait titrer : « Effondrement de l'empire Barzini. L'héritière n'avait pas les épaules assez larges... », ou bien : « Bérénice Barzini incapable de conserver le pouvoir s'incline... »

Demain une manchette annoncerait peut-être : « Après sa totale réussite, Bérénice Barzini décide de quitter son fauteuil de président, pourquoi ? » Mais ce pourquoi m'appartenait, il était à moi, c'était mon histoire et seulement la mienne. Personne, pas même le plus brillant et le plus indiscret des journalistes, ne pourrait y répondre, aucun être au monde n'en possédait la clef ! C'était pour cela, poussée par une force irrésistible, que j'avais fui Milan et m'étais réfugiée dans le seul endroit où je pourrais peut-être trouver cette clef et ouvrir la porte.

*

D'aussi loin que je m'en souvienne, j'en voulais à Dieu d'être née fille, il me semblait que tout aurait été différent si j'avais pu m'appeler Giorgio ou Arturo. Ma mère si douce, si merveilleuse, aurait été ma confidente, mon amie ; mon père aurait continué à rire, et moi j'aurais été heureux.

Heureux de vivre comme le sont les hommes italiens, assez suffisants, assez machos, assez charmeurs, adorant leur « Mamma » avec laquelle ils sont enfantins et dominateurs, et cultivant les maîtresses parce que pour eux elles représentent toujours le « fruit défendu ».

Cette situation de mâle m'aurait parfaitement convenu. Ma première frustration remonte au jour où j'entendis une vieille tante venue rendre visite à ma mère, lui déclarer en soupirant : « Ma pauvre Alicia, la petite n'a pas de chance, elle ressemble à son père, heureusement qu'elle aura une très grosse dot. » Je mis longtemps à saisir les subtilités et le fiel de cette phrase, mais le mal était fait.

Je devais avoir quinze ans lorsque je compris que mon père n'était pas beau et que par voie de conséquence je devais être laide puisque je lui ressemblais. Mais c'est aussi à cette époque que j'appris que nous étions riches. Très friande de littérature et passionnée par mes études, je ne mis pas longtemps à associer et comprendre que j'étais affligée de deux calamités, « la laideur et la fortune », quoi de pire pour une jeune fille. Les hommes c'est bien connu ne s'intéressent qu'à deux catégories de femmes, les très belles ou les richardes, pas pour les mêmes raisons en tout cas, c'était ce que je croyais.

Souvent le soir je me regardais dans la glace et je scrutais mon visage, je voulais savoir ce qui clochait, je ne trouvais pas vraiment, car seuls mes yeux bleus pouvaient me donner une réponse et ils se brouillaient de larmes à chaque séance d'auto-analyse. Ma vie se déroulait dans deux compartiments parfaitement étanches : l'institut religieux où je poursuivais mes études, celui-là exclusivement féminin, et la maison de mon père fréquentée uniquement par des hommes, qui me considéraient toujours comme une enfant.

C'est à leur contact que je me fis une idée personnelle de la femme et particulièrement de la femme italienne. Elle régnait dans les cuisines et elle faisait des enfants, le reste n'était ni de son ressort, ni de ses compétences. Le malheur s'était abattu sur moi le jour de ma naissance puisque j'étais l'une d'entre elles.

L'amour que mon père me manifestait ne me rassurait pas du tout sur ma condition, lui aussi avait voulu un garçon en sachant que ma mère avait beaucoup de mal à procréer. Néanmoins il s'était obstiné pour satisfaire son orgueil de mâle et donner un héritier à son empire.

Heureusement, avant de sombrer dans la plus profonde dépression, j'eus l'occasion de lire l'*Histoire des Médicis*. J'avais trouvé par hasard un énorme ouvrage dans la bibliothèque de *Bel Soggiorno* et cet été-là, Maria me voyait disparaître dès le matin en se demandant ce que je pouvais bien faire enfermée dans cette sombre pièce à respirer la poussière. De temps en temps elle passait la tête à travers la porte et me demandait si j'allais bien ; je lui répondais par un geste expressif de la main, qui signifiait clairement : « Laisse-moi tranquille ». Elle disparaissait et attendait que je veuille bien sortir, ne serait-ce que pour manger et dormir.

Ces Médicis étaient des Florentins, comme ma mère. Famille de banquiers et de marchands, leur rayonnement et leur pouvoir s'étendaient sur toutes les capitales du vieux continent, Londres, Paris, Bruges,

Vienne, Rome et bien sûr Florence. Entre le XIIe et le XVIIe siècle il y eut un véritable miracle Médicis, ils avaient su pactiser avec le peuple et se l'attacher, même si leur joug était parfois despotique. Ils furent des artistes et des mécènes incomparables et de leur temps Florence ne fut pas seulement la capitale de la finance mais aussi celle des arts et des lettres. Tout en lisant leur fabuleuse histoire, je constatais que cette extraordinaire famille avait été non seulement la plus riche, mais aussi la plus intelligente d'Europe. Deux personnages me fascinaient, Catherine et Marie, toutes les deux laides, toutes les deux reines de France, devenues grâce à leur esprit, leur sens politique, leur machiavélisme et leur volonté, des femmes de pouvoir, marquant subtilement l'histoire de leur pays d'adoption. Elles ne s'étaient pas contentées d'être des épouses de rois, elles avaient dominé leur époque et l'avaient influencée profondément. C'est à Marie que Louis XIII, son fils, doit de s'être attaché Richelieu dès 1624, ce cardinal qui modifia si radicalement les finances, l'armée, la législation, brisa les privilèges et fonda l'Académie française.

Etrangères dans un pays hostile, elles avaient su se défendre et exister en dépit de la jalousie, des intrigues et des haines de toutes sortes dont elles furent entourées.

C'est ce côté de leur caractère qui m'intriguait et me rassurait.

Etre femme pouvait ne pas être une tare irrémédiable.

Adolescente je me suis toujours sentie différente de

mes compagnes, je n'avais pas d'amies. Parfois je les écoutais papoter : leurs conversations tournaient exclusivement autour des garçons, des vêtements et des stars de cinéma, sujets qui m'intéressaient fort peu : je rêvais d'un destin, d'une vie exaltante, d'une mission. Souvent j'étais préoccupée par l'existence de Dieu ; élevée dans un couvent catholique, bercée par les vêpres et le salut qui ne me passionnaient pas vraiment, je me posais des questions auxquelles je donnais des réponses diverses selon les jours. A une certaine époque j'envisageais même de prendre le voile. La misère du monde avait besoin de prières et peut-être devrais-je participer à son soulagement : sœur Henriette à laquelle je me confiais parfois m'en dissuada.

Avec son bon sens de campagnarde, elle me conseilla de faire des études puisque j'étais douée et de décider de mon avenir plus tard. « Dieu est partout, me disait-elle, il n'est pas nécessaire d'aller dans un couvent pour le prier. Si tous les jours tu t'appliques à bien faire ton travail tu contribues à son rayonnement. »

Grâce à elle j'ai cessé mon délire spirituel et je me suis replongée dans mes livres.

Ce besoin d'apprendre perturbait mon père, il trouvait ma vie de jeune fille anormale, ma coquetterie inexistante le dérangeait, et devant ce manque d'intérêt pour ma personne demanda à Ursulla, la femme de son meilleur ami, de m'emmener chez les couturiers. Elle me fit faire un véritable voyage initiatique et je dois reconnaître qu'après le coiffeur, l'institut de beauté et le styliste qui m'apprit quelques trucs sur la manière de tirer parti de mes points forts et de mes points faibles, revêtue d'un ensemble de Christian Dior (Ursulla n'avait pas lésiné), je n'étais plus la même personne et je commençais à m'aimer un peu.

Ursulla était un être charmant, d'une futilité à toute épreuve, mais douée d'une sûreté de goût qui me fit comprendre plus tard qu'elle était exceptionnelle. C'est à elle que je dois de m'être fait arranger le nez qui, sans changer la face du monde comme cela aurait pu être le cas pour celui de Cléopâtre, m'apporta une libération et un réconfort certain.

Sans prétendre à la beauté, je devins petit à petit, poussée par ses précieux conseils, une assez « jolie fille », celles dont on dit « elles ont du charme, de la classe, de l'allure, des yeux expressifs et un charmant sourire. » Cette métamorphose avait eu lieu juste avant mon mariage, aussi croyais-je vraiment avoir séduit Michel Clavier en pensant que les efforts conjugués de cette panoplie de professionnels du « paraître » avaient fait un miracle.

Sans avoir vraiment rêvé au prince charmant, j'avais quand même un cœur et un corps prêts à s'épanouir.

Ma déception fut immense, faire l'amour sans être aimée est une sensation indéfinissable mais je la ressentis la première fois que Michel me toucha (après le mariage bien sûr). Mauvaise découverte. Pendant quelque temps son « faux-semblant » s'accorda à mon « faire-semblant » pour ne plus être qu'un semblant de rien dès que je fus enceinte. Pudique et secrète je savais que je ne parlerais à personne de cette expérience désastreuse et je me demandais si un jour l'amour prendrait pour moi une autre signification.

J'étais jeune, inexpérimentée et naïve ; ma curiosité et mes désirs restaient insatisfaits, malgré les quelques livres polissons et suggestifs que j'avais découverts, bien cachés, à Bel Soggiorno, et dont les fameuses extases, décrites avec des envolées lyriques par quelques libertins érotiques, me laissaient perplexe.

Dès mon retour définitif à Milan, je parlais à mon père de divorce, il leva les bras au ciel et m'expliqua qu'en Italie ce mot ne pouvait exister puisque la loi l'avait exclu de ses tablettes.

« Mais alors, lui dis-je, toute ma vie je serai liée à cet individu, sans pouvoir y échapper ?

— Eh oui, nous sommes dans un pays catholique où il n'y a pas de séparation entre l'Eglise et l'Etat. Je t'avais prévenue et suggéré de te marier en France, tu n'as pas voulu. Ici, il n'y a que l'annulation, mais cela est très long, très compliqué, et les preuves à fournir sont tellement particulières qu'il vaut mieux y renoncer tout de suite. Même pour des raisons d'Etat, le pape ne se laisse pas fléchir, rappelle-toi Henri VIII, il rompit avec la papauté qui ne voulait pas le laisser changer d'épouse et se déclara chef de l'Eglise d'Angleterre pour être sûr de ne plus avoir à demander d'autorisation à qui que ce soit. Qualifié de Barbe-Bleue, il fut présenté comme un monstre et un assassin par toute la tradition judéo-chrétienne. Il faut dire que deux de ses femmes montèrent sur l'échafaud. C'était un peu beaucoup. Personnellement je crois que son grand tort a été de vouloir absolument régulariser ses liaisons. Les rois de France étaient beaucoup plus malins, ils avaient des vies sentimentales mouvementées mais presque toujours en coulisses. Ce pauvre Henri VIII a eu la déveine de naître à l'époque où le pape Alexandre VI, né Borgia, avait transformé « Rome la catholique » en « principauté de la Renaissance », avec tous les débordements que cela implique : vie dissolue, duplicité, népotisme, empoisonnements et autres horreurs. Manque de chance, il arriva au pouvoir après un sérieux ménage exécuté par les princes de l'Eglise suite à ce dérapage incontrôlé.

Revenant sur terre aujourd'hui que penserait ce roi d'Angleterre des six mariages d'Elisabeth Taylor et de ceux, multiples, de bien d'autres, sans pour cela que la rumeur publique les traîne dans la boue : sans doute que la société actuelle est bien laxiste, mais il se sentirait quand même rassuré, puisqu'en Italie, dans ce domaine, depuis la chute des Borgia, rien n'a changé. »

Je trouvais mon père cynique et un peu manipulateur, mais c'est vrai qu'il m'avait parlé de cette éventualité et m'avait mise en garde. Néanmoins je m'étais comportée comme les autres filles amoureuses, elles deviennent imperméables et refusent tout conseil. Même le plus judicieux.

Si j'avais pu, je me serais battue pour ma bêtise et mon imprévoyance ; hélas c'était trop tard. La leçon était dure mais salutaire, désormais je tiendrais en mains mes sentiments.

Heureusement Federico avait pris des dispositions concernant la fortune de la famille, Michel ne pourrait jamais y pointer son nez !

Durant les deux premières années de travail intensif

avec Federico, j'appris vraiment à le connaître et à la faveur des explications que je lui demandais au sujet des fiches qu'il remplissait inlassablement, je commençais à comprendre comment fonctionnait l'empire. Parfois je sentais qu'il ne me disait pas tout et j'avais un sentiment de frustration. « Plus tard, me disait-il, lorsque mes questions sur telle ou telle personne l'indisposaient, pour le moment je ne peux t'en dire plus, mais un jour ce coffret sera à toi et tu y trouveras toutes les réponses. »

L'organisation de mon père était très cloisonnée, il avait huit collaborateurs directs, dont un avocat et un responsable financier, chacun des six autres dirigeait une unité. Ces différentes personnes n'avaient jamais de réunions en commun ; lui seul connaissait tous les morceaux du puzzle et décidait des stratégies à moyen et long terme. C'était une sorte de « Parrain » avec ses *consiglieri*. J'assistais à tous ses rendez-vous, mais je ne devais jamais intervenir. Il m'avait demandé de noter ce que je ne comprenais pas et durant les week-ends il faisait le point avec moi et testait ainsi mes connaissances acquises.

Souvent il me regardait étonné, et je suis sûre qu'il se demandait comment une femme pouvait suivre les méandres de ses pensées dans ce milieu impitoyable à haut risque.

Comme lui, ce que j'aimais par-dessus tout c'était l'activité d'éditeur et je l'admirais pour ses innovations dans ce domaine. Il avait affronté les critiques et lancé la publicité littéraire pour battre en brèche leur pouvoir exorbitant et exclusif. Son but était de frapper les imaginations et de permettre aux lecteurs de mémoriser des titres et des noms.

« L'intelligentsia » s'était mobilisée contre lui et avait claironné que la publicité était un artifice vulgaire et bas.

Federico avait riposté et déclaré que les livres qu'il publiait s'adressaient avant tout au public et non à la critique.

Les libraires l'avaient soutenu et affirmaient que pour eux la publicité littéraire, avec le titre, la couverture et la bande, était le seul moyen d'éviter qu'un livre disparaisse des étalages après dix jours de mise en place.

Il se battait avec opiniâtreté contre les éditeurs rivaux et considérait que tous les coups étaient permis, et certains coups bas recommandés. Je trouvais qu'il ressemblait à un personnage du XIXe siècle, en ce sens qu'il ne mettait jamais en avant une idée, mais des goûts. Pour lui, l'élégance, le raffinement et la qualité primaient.

Il n'aimait pas les auteurs engagés.

Les sectaires lui étaient antipathiques, considérant qu'ils étaient prisonniers d'un carcan de comportement trop rigide.

Il n'aimait ni les puritains, ni les hommes à principes, en cela il ressemblait à son père, un esthète plus qu'un intellectuel, préférant les artistes aux hommes d'idées. J'appris que c'était mon grand-père Pietro qui avait spécialisé les imprimeries de Turin dans les éditions artistiques de haute qualité.

Elevé dans les meilleurs collèges d'Italie puis dans

les universités françaises et anglaises, Pietro avait bénéficié de tout ce que son père autodidacte n'avait pas eu. Passionné de peinture, il avait constitué la célèbre collection de tableaux du XVIIIe siècle, patrimoine inestimable de la famille, réunie dans un véritable petit musée et convoitée avec fureur par l'impossible sœur de mon père, Carlotta.

Pietro s'était marié tardivement avec une aristocrate vénitienne, Donatella di San Marzo, dont la mère était d'origine allemande. Grâce à elle, ils avaient pu s'exiler durant toute la guerre à Lugano, en Suisse. J'avais adoré cette femme qui ressemblait à une princesse tzigane dont elle avait, à mon idée, le charme et la drôlerie. Je pouffais de rire dans mes mains chaque fois qu'elle expliquait à mon grand-père quand il se plaignait de Carlotta : « Que veux-tu, Pietro, Carlotta ressemble à mon oncle Gunther, elle est aussi idiote que lui. Les gènes déficients de ma famille nous poursuivent. D'ailleurs c'est connu, la mauvaise graine est beaucoup plus vivace que la bonne. Regarde les enfants de Carlotta, c'est encore pire, ils sont tous les trois stupides. Que veux-tu, ce n'est pas de ta faute, tu n'aurais jamais dû m'épouser ! »

Ces propos exaspéraient tellement mon grand-père qu'à chaque fois il sortait en claquant la porte. Pour ma grand-mère, tout était héréditaire, la fortune, le physique, le caractère... Souvent elle déclarait qu'aucun homme ne pouvait être sûr de sa paternité sauf si dans ses enfants il retrouvait des traits spécifiques de lui-même ou de sa famille. Elle était fantasque, imprévisible, curieuse de tout, totalement anticonformiste et très peu italienne. La regarder vivre était pour moi une grande joie. Parfois, lorsque je scrutais attentivement les portraits de son père et de sa mère ainsi que ceux de ses ancêtres, je me disais qu'effectivement, il n'était pas exclu que quelque prince du Danube ait croisé un jour en gondole la route de sa chère maman. Au hasard d'une de mes nombreuses lectures, j'appris qu'au début du XIXe siècle la moitié des enfants de la ville de Paris étaient des bâtards ! Alors pourquoi pas dans les autres villes, et pourquoi pas dans ma famille... ? Quant aux arbres généalogiques, jusqu'à quel point étaient-ils fiables ?

*

Petit à petit le métier entrait dans ma tête, chaque jour j'y trouvais un intérêt et un plaisir nouveaux. Les soirs où je ne devais pas accompagner mon père à un dîner ou à une réception utile à nos affaires, je rentrais fourbue et retrouvais mon petit Paolo, avec lequel je jouais un moment. J'aimais mon fils mais sa ressemblance avec son père était telle que je me sentais gênée et instinctivement sur la défensive. Nous vivions dans l'ancien appartement de mes grands-parents que mon père avait fait redécorer à mon intention après leur disparition, situé dans l'hôtel particulier de la famille près de la Piazza della Republica, en plein centre de Milan.

Il m'arrivait de penser à ma vie, surtout certains soirs d'hiver, allongée à plat ventre devant la cheminée du salon, essayant de trouver dans les flammes qui dansaient devant moi des réponses à cette indifférence affective et à ce profond désenchantement qui parfois m'envahissait. Un soir je décidai d'être honnête et entrouvris mon cœur. Ma douleur et mon chagrin furent tellement violents que je me jurai de ne plus recommencer. Ma courte vie était jalonnée de séances au cimetière. Alicia, ma si jolie maman, sa mère Adriana, Pietro, Donatella, tous les êtres que j'avais aimés étaient désormais sous la terre. Plus jamais je ne les entendrais rire ou tempêter, plus jamais je ne sentirais leurs lèvres sur mon front, plus jamais je ne verrais leurs bras s'ouvrir à mon arrivée, plus jamais je ne verrais passer dans leurs yeux l'amour qu'ils me portaient et qui me pénétrait jusqu'aux os.

Il me restait mon père et j'avais peur, peur du jour fatal où il me quitterait et où à nouveau je me retrouverais vêtue de noir, sous le grand parapluie noir, ne sachant plus si l'eau ruisselant sur mon visage, derrière mes grosses lunettes fumées, viendrait de mes larmes ou de cette pluie ininterrompue, signifiant pour moi que nous n'étions rien d'autre qu'un tas de chair et d'ossements finissant en poussière, emporté par cette eau descendue du ciel et entraîné dans les entrailles de la terre pour toujours.

Je haïssais les cimetières.

*

Un après-midi d'octobre, lorsque les feuilles commencent à tomber au moindre souffle de vent, nous eûmes la surprise de voir entrer dans le bureau du sixième étage un personnage étrange.

Un ami de Federico lui avait demandé avec insistance de bien vouloir le recevoir et celui-ci fut introduit par la secrétaire. Il ressemblait à un personnage de Pirandello, lunaire, absent, transparent, à la limite de l'irréel. Il portait une veste en tweed aux coudes élimés, aux revers de poche fatigués d'avoir trop servi, le pantalon gris était un peu court, la chemise, d'un vert passé, au col entrouvert, laissait apparaître quelques poils grisonnants cachant en partie une chaîne d'or, à laquelle pendait une petite croix. Son visage rond était éclairé par deux yeux bruns presque fixes, surmontés d'épais sourcils dont quelques poils frisottaient. Il serrait contre lui une vieille serviette de cuir marron, et se tenait debout devant le bureau de Federico, se balançant d'un pied sur l'autre sans savoir quelle contenance prendre.

Federico lui fit signe de s'asseoir en face de lui, ce qu'il fit en prenant garde de n'appuyer que le rebord externe de ses fesses. Je le regardais avec intensité, me demandant quels secrets pouvaient être enfouis derrière ces lèvres minces à peine rosées, ce teint blafard et cette élocution bredouillante.

Mon père, essayant de le mettre à l'aise, engagea immédiatement la conversation :

« Monsieur Sabatini m'a dit que vous aviez écrit un très bon livre, mais qu'aucun éditeur jusqu'à présent ne s'y est intéressé. Il paraît que c'est une histoire populaire et nous n'avons pas de collection pour ce genre de manuscrits : néanmoins nous allons le lire et nous vous ferons part de notre décision. Je vous présente ma fille. C'est à elle que reviendra cette tâche. »

J'étais stupéfaite. Pour la première fois depuis deux

ans mon père me dévoluait un autre rôle que celui de spectatrice. Cela me remplit d'angoisse et de joie.

Federico me fit signe de raccompagner notre visiteur — il n'était jamais très loquace lors d'un premier rendez-vous. Je me levai d'un bond, pris des mains de l'auteur son œuvre qu'il avait maladroitement retirée de la serviette et, la serrant sur mon cœur, je fermai la porte derrière lui.

D'un regard j'interrogeai mon père qui, se levant à son tour, s'approcha de moi et me déclara :

« Chérie, j'ai apprécié ton travail, tu as appris avec conscience et acharnement. Il est temps aujourd'hui que je voie ce que tu sais faire, la balle est dans ton camp, montre-moi si tu es capable de la renvoyer au but. »

Enfin il commençait à me faire confiance. Je me sentis prête à remuer des montagnes. Ce soir-là je quittai le bureau un peu plus tôt que de coutume, et installée dans mon lit, bien calée dans les oreillers, je me plongeai dans *l'Amore delle cinque donne*, de Giovanni Testi.

*

Passionnée par ma lecture, je ne vis pas le temps passer. Jamais je n'aurais pu imaginer que ce personnage falot, emprunté, pouvait être capable d'écrire une histoire aussi drôle, aussi poignante, à la fois profonde et dérisoire. Il décrivait avec une extraordinaire maîtrise de la langue les aventures d'un Don Juan de pacotille, voyageur de commerce qui à force de vouloir séduire, se retrouvait un jour avec cinq femmes à plein temps, dont il ne pouvait plus se défaire. Gags, quiproquos, chassés-croisés, imbroglios se succédaient sans relâche avec un humour décapant et une tendresse apitoyée pour son héros qui me bouleversa. Je tenais un best-seller, j'en étais absolument sûre. Mais comment le faire comprendre à Federico ? Pour mon premier coup, j'avais une chance insolente. Cette constatation me remplit d'inquiétude. Incapable de dormir j'attendis l'aube avec anxiété, me faisant les demandes et les réponses.

« Surtout, Bérénice, ne t'emballe pas. Réfléchis à ce que ton père t'a dit des dizaines de fois et procède par ordre. Giovanni Testi est-il un auteur de talent ou est-il l'homme d'un seul livre comme bon nombre de soi-disant écrivains qui ne produisent rien de durable.

Crois-tu que ton instinct, ton flair, soient fiables ? Tu as bien peu d'expérience. Attention à ce que tu vas dire à Federico, c'est ta crédibilité future qui est en jeu !

Penses-tu sincèrement qu'une collection « grand public », constituée de romans faciles, populaires, peut trouver sa place sur le marché actuel et remplacer les romans-photos très lucratifs mais devenus ringards ?

Bérénice, prends garde à toi. D'accord, tu ne risqueras pas des sommes folles, mais avant tout, prépare un budget et ne parle à ton père que chiffres en mains. Sois adroite, armée et réaliste sans pour cela te castrer et t'enlever ce petit coup de folie qui fera la différence avec tes concurrents. »

Au petit matin ma décision était prise : j'allais me comporter comme une vraie professionnelle et pas du tout comme l'enfant gâtée de Federico Barzini.

*

Renato Carvi était le « consigliere » financier de

mon père. Depuis que je travaillais aux éditions Barzini je le voyais pratiquement tous les jours quand il venait lui faire son rapport quotidien.

C'était un homme proche de la soixantaine qui, fait rare pour un Italien, n'avait ni femme, ni enfant. Il consacrait sa vie à ses chiffres et à sa collection de timbres.

Pietro l'avait engagé, tout jeune expert-comptable, et grâce à ses compétences, il avait grimpé les échelons dans l'empire Barzini jusqu'au poste qu'il occupait depuis plus de quinze ans auprès de mon père. Directeur financier et conseiller privilégié du groupe, c'était un homme très astucieux, rompu aux montages financiers, habile auprès des banquiers ; il formait avec Luigi Bucco, le juriste, imbattable dans son domaine, ce que j'appelais « le couple infernal ».

Pour présenter un projet à Federico, j'avais besoin d'eux, mais aussi de leur discrétion. Pourrais-je compter sur leur coopération ? N'allaient-ils pas me trahir ?

Pour moi aussi cette expérience serait un test. Fidèles à mon père, le seraient-ils envers moi ? A tout prendre, mieux valait le savoir dès maintenant en prévision de l'avenir.

Federico avait une idée personnelle du métier d'éditeur, il privilégiait le contact direct avec ses auteurs, nouait des liens qui parfois se transformaient en véritable amitié, relation très particulière qui pouvait influencer leurs œuvres.

Son tempérament, son goût du risque, sa pugnacité et l'idée qu'il se faisait des lettres et du métier d'écrivain, avaient profondément transformé le paysage littéraire et éditorial. Cette attitude originale par rapport à ses concurrents avait suscité la création de prix donnant naissance à des bagarres annuelles féroces, hargneuses et désopilantes. Ses relations avec les auteurs étaient harmonieuses ou conflictuelles suivant les hommes, les périodes, les nécessités, et débouchaient quelquefois sur des chèques « à valoir » qui désespéraient Renato Carvi. Pour lui les auteurs se divisaient en deux catégories, les bons qui ne demandaient jamais d'avances sur leurs droits, et les mauvais qui ne cessaient d'en demander. Ah, si seulement le patron avait bien voulu l'écouter, sa colonne « pertes et profits »aurait eu un aspect différent, beaucoup plus à son goût ; hélas ça n'était pas le cas. Federico aimait découvrir des écrivains et les aider à accoucher d'une œuvre, il savait que cela pouvait être très douloureux et nécessitait quelques « petits sacrifices » de sa part, sacrifices qui se transformaient chez Renato en l'aspect plongeant de ses épaules, écrasées par le poids des lires inconsidérément accordées par mon père à un « mauvais écrivain ». Heureusement je n'irais pas lui demander d'« avance » : j'avais une petite chance d'être écoutée.

*

Nous étions dans une période de travail très chargée et je dus attendre deux jours pour voir tranquillement Renato. Il me reçut sans enthousiasme débordant, mais me donna toutes les informations que je souhaitais concernant les méthodes et les investissements nécessaires pour lancer une nouvelle collection. Cela refroidit un peu mes ambitions car je n'avais pas une dizaine de livres en réserve à publier et rechercher des manuscrits sans être sûre de pouvoir les utiliser me semblait hasardeux ; quant aux sommes à investir, elles me paraissaient élevées.

En le quittant, j'eus l'impression qu'il venait de tout faire pour me décourager. Du coup je renonçai à mon entrevue avec Luigi Bucco.

Les trois jours qui suivirent cet entretien furent pénibles, je ne savais quelle décision prendre, j'avais beau tourner et retourner le problème dans ma tête, cela me semblait sans issue. J'aimais le livre de Testi, et je ne savais comment faire pour aboutir ; finalement je résolus d'en parler à Federico, en lui faisant part de toutes mes réflexions, sans ambiguïté. Nous devions dîner ensemble ce soir-là, et j'attendis le sacro-saint moment du café, instant préféré de mon père, lorsqu'il s'asseyait, jambes étendues, devant la cheminée de la bibliothèque et qu'il pouvait siroter son nectar favori accompagné de quelques bouffées d'un Davidoff princier.

Il me fit un petit sourire de satisfaction et je me jetai à l'eau.

Je lui racontai tout, depuis mon émotion à la lecture du manuscrit, jusqu'à mes angoisses et à mon rendez-vous avec son « consigliere », ce que j'avais appris de nouveau sur son métier qui un jour, je l'espérais violemment, serait aussi le mien, et mon désespoir à l'idée de devoir renoncer à éditer ce livre que je considérais comme plein de promesses – je n'osais pas employer le mot « best-seller ».

C'est alors que le miracle se produisit. Il me regarda avec une infinie tendresse et commença à me parler.

« Tu sais, cara mia, je n'étais pas tellement plus vieux que toi aujourd'hui, lorsque j'ai demandé à mon père l'autorisation de créer les « Editions universitaires ». Il m'accorda sa confiance et maintenant c'est un des secteurs du groupe qui marche le mieux. Ton idée est séduisante, mais je crois qu'avant de nous lancer dans cette aventure, il est préférable de faire un essai. Puisque le livre de Testi t'a séduite, tu vas l'éditer et en assurer le lancement, je te ferai ouvrir les crédits nécessaires et ce sera sous ton entière responsabilité. Si ça marche, l'avenir sera devant toi ; si tu essuies un échec, ce sera une expérience dont tu tireras sûrement des leçons profitables. Alors, vas-y, « figlia mia », je te donne ma bénédiction, sans réticence », ajouta-t-il avec un clin d'œil.

Nous savions ce que cela voulait dire, l'ombre de mon mariage raté planait toujours sur ma tête. Je sautai sur lui en l'embrassant fougueusement, jamais je ne pourrais rencontrer un homme aussi formidable que lui, il disait toujours ce qu'il fallait au bon moment, il ne cessait d'être « à l'écoute », attentif, direct, vrai ; je comprenais pourquoi ma mère s'était décidée à devenir sa femme : il respirait la paix, la force, l'intelligence, l'imagination, la vie...

Au moment où je quittai la bibliothèque pour rentrer chez moi, il ajouta : « J'aimerais bien que tu me montres cet *Amore delle cinque donne.* » Interdite, je retins la poignée de la porte et tournai la tête vers lui : comment connaissait-il le titre puisqu'il n'avait jamais eu ce manuscrit entre les mains ?

Je répondis tout de suite : « Bien sûr, caro papa, je vais le chercher et je te l'apporte. »

Ma perplexité ne fit qu'augmenter en descendant les escaliers, pourtant je savais que je ne lui poserais aucune question.

Dès le lendemain il me rendit « l'enfant » en me déclarant simplement : « Tu as très bon goût ma fille, je ne peux te dire qu'un mot : fonce ! »

Je me précipitai chez Luigi Bucco afin de lui demander un contrat type et je convoquai Giovanni Testi. Mon père était parti pour Turin, j'avais donc le bureau du sixième pour moi toute seule et mon premier auteur.

Il arriva pareil à lui-même, toujours aussi gêné. Je lui expliquai tout le bien que je pensais de son livre et essayai d'en savoir un peu plus sur lui, mais il ne fit que bredouiller des phrases sibyllines sur un ton suranné. Pendant quelques secondes, un doute m'envahit : avais-je bien en face de moi l'homme qui avait écrit *l'Amore delle cinque donne* ? Une telle distorsion entre les deux m'inquiétait un peu.

Je balayai ces mauvaises pensées de ma tête et je me sentis rassurée lorsque je vis son sourire au moment où il mit dans sa poche le chèque qui concrétisait notre accord. Il était profondément heureux, sans aucune malice, et je réalisai qu'il avait rêvé à cette minute depuis longtemps. Sa lassitude apparente était sans doute le fruit de ses multiples déceptions.

Après son départ, je demandai au directeur de fabrication de venir me voir et je lui confiai « mon trésor ». Dans quelques jours je choisirais les caractères d'imprimerie, la couverture et me consacrerais au lancement.

Pendant trois mois je travaillai presque nuit et jour avec tous les services de la maison, personne ne croyait vraiment à mon projet. Ils le trouvaient trop ambitieux pour un petit livre qu'ils jugeaient bien ordinaire, habitués qu'ils étaient à la littérature « noble ». Les éditions Barzini possédaient le plus important fond de littérature italienne et étrangère. Ils considéraient que la fille du patron faisait joujou.

Avant de déclencher les grandes manœuvres, je soumis le plan à mon père, qui me répéta de nouveau : « C'est ton problème, tant que tu resteras à l'intérieur de ton enveloppe budgétaire, je ne te ferai aucune remarque. »

Par moment l'angoisse me submergeait, pourvu que ce ne soit pas un échec, si tel était le cas je serais la risée du personnel et adieu mon désir de succéder un jour à mon père.

Je choisis une couverture de livre très évocatrice, un dessin représentant le visage affolé d'un homme ressemblant à Marcello Mastroianni, au-dessus duquel se penchaient cinq silhouettes de femmes aux mains tendues.

Ma campagne était basée sur l'humour, illustrée par des affiches et des annonces qui intriguaient et suscitaient l'intérêt. J'avais convaincu Giovanni Testi de rester à l'écart dans un premier temps afin de cultiver un certain mystère. Aucune interview n'était prévue.

Un mailing salivant avait été adressé à tous les libraires, accompagné d'un poster coquin.

Le succès fut foudroyant. Douze ans après je n'en reviens toujours pas. Sans doute ne serais-je plus capable aujourd'hui de prendre un tel pari.

Imaginez un tirage initial de dix mille exemplaires, alors que personne ne tire à plus de trois mille exemplaires un premier roman, assorti d'un investissement publicitaire très lourd, – mon père devait être sûr de son coup pour m'avoir laissé faire.

Souvent j'ai repensé à ces moments-là et je ne puis m'empêcher de croire qu'il avait certainement lu le manuscrit avant moi, qu'il en avait décelé la rareté et avait décidé de me mettre le pied à l'étrier grâce à lui, pour que je puisse m'imposer aux yeux des employés de l'empire, et préparer ainsi son éventuelle succession. Jamais je n'ai élucidé ce mystère, nous ne le souhaitions ni l'un ni l'autre.

Nous vendîmes plus de cent mille exemplaires en trois mois. Par la suite, ce livre fut édité dans vingt-cinq pays et aujourd'hui nous en sommes à plus de cinq millions dans le monde. Giovanni Testi est devenu un auteur à succès, il a complètement changé de look et à chacune de ses apparitions en public il est couvert de femmes. Affolé, il passe le plus clair de son temps dans un vieux château baroque à la Louis II de Bavière, près de la frontière autrichienne, d'où il nous concocte tous les deux ans un cocktail d'humour grinçant. Sa vie privée est restée un mystère, mais nous sommes devenus des amis.

Federico fut ravi de notre succès et commença à me parler de la possibilité de lancer une véritable « collection populaire ». Renato Carvi et Luigi Bucco n'y étaient plus hostiles, ma réussite les avait ébranlés.

Forte de cette victoire, je partis à la chasse aux manuscrits, tout en continuant à m'initier avec mon père aux méandres du groupe.

Je commençais enfin à me sentir heureuse lorsque le drame eut lieu, un sombre soir de janvier.

Au moment où mon père revenait en voiture d'une réunion à Turin, pied au plancher comme d'habitude, un violent orage éclata, la pluie poussée par un vent violent déferla comme une véritable vague de fond sur l'autoroute, déstabilisant son véhicule et provoquant paraît-il un incroyable vol plané : éjecté, on le retrouva dans un champ, mort sur le coup.

J'étais à la maison lorsque je vis arriver Renato, incapable de contenir son chagrin, il me prit dans ses bras et en sanglotant me fit part de l'horrible nouvelle.

Hébétée, je ne pouvais y croire. Le matin même nous formions le projet de partir quelques jours nous reposer à « Bel Soggiorno », nous nous promettions quelques belles journées de farniente, entrecoupées dc visites chez les antiquaires, notre passion commune, à la recherche d'objets rares, cela faisait des mois que nous en étions privés. Nous nous étions quittés joyeux à l'idée de cette escapade, et en quelques heures mon destin venait à nouveau de basculer.

Cette fois, je n'avais plus personne vers qui me tourner. Le chagrin, le désespoir, la solitude m'enveloppaient de leurs lourds manteaux. Plus jamais je ne serais une petite fille.

Federico avait été le germe de ma vie, j'avais vécu jusque-là à travers sa vie ; demain je devrais endosser ma propre vie et je ne savais pas si j'en étais capable.

*

Bel Soggiorno

Une main venait de me caresser le front. Ce chaud contact me fit entrouvrir les paupières et mes yeux se posèrent sur le beau visage de Maria. Il y avait tellement de douceur dans son regard que cela me remplit le cœur de reconnaissance.

« Que veux-tu, Maria ? Je me reposais, j'en ai un si grand besoin. Je descendrai plus tard, pour le moment je n'aspire qu'à rester dans mon lit.

— Je sais, cara mia, mais le bureau de Milan a téléphoné trois fois, je leur ai dit que tu n'étais pas là, est-ce que j'ai bien fait ?

— Oh merci ! Personne ne doit savoir que je suis ici. Je te parlerai ce soir... Laisse-moi maintenant, ne t'inquiète pas surtout, je ne suis pas malade. A plus tard. »

Maria disparut avec ses pas dansants et son port de reine en refermant la porte avec précaution. Elle avait déposé à côté de moi, sur un plateau fleuri, un grand bol de bouillon que je bus d'un seul trait. J'étirai lentement mes orteils, jambes bien tendues et, sans m'en rendre vraiment compte, je me replongeai dans mes rêves et dans mon passé.

CHAPITRE II

Le monde des arts, des lettres, des sciences, de la politique, de l'industrie, s'était déplacé pour assister à l'enterrement de Federico.

Je réalisais en voyant cette assemblée de personnalités, à quel point mon père avait été un monsieur important. L'église du Duomo était trop petite pour contenir cette foule de gens célèbres à laquelle s'ajoutait une grande partie du personnel des Editions Barzini.

Respecté et admiré à l'intérieur comme à l'extérieur de son empire, il était salué une dernière fois par tous ces hommes et ces femmes avec émotion.

Au-delà du chagrin qui me submergeait, j'étais fière de cet hommage qui lui était rendu.

Le marquis di San Cipriano et la marquise, née Carlotta Barzini, « la stupide » comme disait ma grand-mère, étaient bien sûr présents, flanqués de leurs grands dadais de fils aux pâles yeux globuleux.

Ils se pavanaient comme à une réception mondaine,

en essayant de me tenir à l'écart au moment des condoléances. Devant cette attitude, les deux « consiglieri » de mon père opérèrent un mouvement stratégique en me prenant chacun par un bras et en me faisant glisser avec sûreté et assurance, devant cette famille que Federico ne portait pas dans son cœur.

Carlotta m'adressa un regard chargé de haine.

Le convoi partit ensuite pour le « Cimitero monumentale », ce lieu que je ne pouvais pas supporter, et où se trouvait le caveau familial.

Je n'arrivais plus à contenir mon chagrin.

Debout, en pleurs, sous la pluie, soutenue avec bienveillance par les deux fidèles de mon père, j'essayais de ne pas craquer.

Au moment où le prêtre donnait une dernière bénédiction au cercueil, avant qu'il ne disparaisse dans la profondeur de la terre, apparut devant moi un être que j'espérais ne jamais revoir de ma vie : mon soi-disant « mari », cet homme que j'avais réussi à oublier durant ces dernières années, puisqu'il avait eu la sagesse de ne jamais se manifester.

Aujourd'hui, j'étais seule avec un fils qu'il avait engendré, et je me demandais, affolée, ce qu'il était venu faire dans ce lieu où il n'avait vraiment pas sa place.

Une véritable panique s'empara de moi. Prise de tremblements je balbutiai à l'oreille de Renato :

— Attention, c'est mon mari, il est dangereux.

Et je m'évanouis.

Dans la limousine qui me ramenait à la maison, je retrouvai mes esprits.

Le visage calme de Renato me rassura.

J'avais hâte de retrouver mon fils, sa chaleur lorsqu'il était dans mes bras, et son sourire, la seule famille qui désormais me restait.

Angoissée à l'idée que Michel Clavier puisse venir sonner à ma porte, je demandai à Renato de ne pas me quitter, ce qu'il fit avec beaucoup d'amitié.

Demain nous irions chez le notaire ouvrir le testament de Federico, et je saurais quelles dispositions il avait prises. La vie continuait, mais dans quelles conditions ? Je devais être courageuse, mon avenir et celui de mon fils dépendaient entièrement de moi, de ce que je serais capable de faire demain, et les jours et les années qui se succéderaient sans relâche, jusqu'à ma propre disparition.

Le soir même Michel essaya de forcer ma porte. Renato le pria de partir immédiatement, le menaçant d'appeler la police devant son obstination.

– Mais je suis son mari, criait-il, le divorce n'existe pas en Italie, ma femme et mon fils sont ici, j'ai le droit d'y être aussi.

La nurse avait eu la présence d'esprit de fermer toutes les portes afin que Paolo n'entende pas les vociférations de son père.

Finalement il renonça, pourtant je savais qu'il ne s'agissait que d'une trêve. Il avait une idée derrière la tête, mais laquelle et pourquoi ?

Le lendemain, après une nuit agitée où j'expliquai à Renato qui était réellement Michel et les dangers que nous courions, nous allâmes chez Maître Falco.

Mon père avait fait de moi son unique héritière, à

part quelques legs aux personnes qui l'avaient servi de nombreuses années à Milan et dans d'autres propriétés, dont une importante donation pour Maria Baldi qui m'avait pratiquement élevée et à laquelle il était très attaché ; la totalité de ses biens me revenait, ainsi qu'une lettre que le notaire me remit avec beaucoup de cérémonie.

« Vous devez la lire attentivement, et ne revenir me voir qu'après avoir bien réfléchi. A ce moment-là seulement nous signerons les papiers nécessaires au règlement de la succession. »

Je regardai Renato et le notaire avec perplexité. Etaient-ils au courant du contenu de cette lettre ?

A mon interrogation muette, ils répondirent tous deux que mon père leur avait simplement demandé de veiller sur moi si jamais il disparaissait.

Je demandai à Renato de me conduire au siège des éditions ; je voulais prendre connaissance de ce message de l'au-delà dans le lieu où j'avais appris à aimer la vie de mon père, là où je me sentais vraiment une Barzini, dans le bureau du sixième étage.

Je n'osais pas m'asseoir à la place de Federico, il me semblait que d'une minute à l'autre il pourrait surgir auprès de moi, prendre mon cou avec sa main puissante, approcher ma tête de ses lèvres et les poser sur mon front comme il avait si souvent l'habitude de le faire.

J'allais lire son message enveloppée par sa présence chaleureuse, entourée de ses objets familiers, et presque caressée par tous ces livres auxquels il avait donné une réalité.

Je décachetai fébrilement l'enveloppe.

Bel Soggiorno, 197.

Ma fille chérie,

Le jour où tu liras ces mots, je serai allé retrouver ta chère maman. Depuis qu'elle nous a quittés, à chaque instant je me suis reproché sa mort et j'ai abrité ce remords comme un véritable cancer.

Mon stupide amour-propre de mâle nous a gâché la vie. Pourquoi vouloir un fils quand j'avais eu la chance d'avoir une fille aussi formidable que toi.

Je ne suis jamais arrivé à me pardonner mon aberration. Sache que tu es tout à fait digne et capable de reprendre le flambeau, mais je ne souhaite pas que tu le fasses sans mûre réflexion.

Diriger l'empire Barzini est une lutte quotidienne, tu t'en es rendu compte au cours des années que nous avons passées côte à côte.

Comme tu le sais, tu ne seras pas propriétaire à cent pour cent de toutes les sociétés du groupe. Ta tante, des banques, des industriels ont des participations minoritaires dans plusieurs de nos affaires.

Tu seras obligée de faire montre de beaucoup de compétence, de volonté et de courage.

Je sais qu'avec l'aide de Renato et de Luigi, tu peux parfaitement y arriver, mais je ne veux absolument pas que tu te croies obligée de me succéder. J'ai perdu l'orgueil de la dynastie le jour où j'ai perdu ta mère. Ce jour-là, j'aurais tout donné pour vivre avec elle jusqu'à la fin de mes jours, parce qu'elle représentait, avec toi, les deux êtres que j'aimais sur cette terre, mais c'était trop tard.

Alors ma chérie, tu es libre, entièrement libre de ton choix.

Ne fais que ce que tu as vraiment envie de faire, ne garde que ce que tu souhaites conserver.

Quelles que soient tes décisions, tu auras ma bénédiction « sans restriction ». J'ai une totale confiance en toi.

Si tu veux vendre tout ou partie de notre groupe, Renato et le notaire connaissent les personnes avec lesquelles il faudrait négocier.

Dans le coffret, tu trouveras le nom des gens que tu pourrais être amenée à rencontrer, ou qui pourraient avoir une influence sur nos affaires.

Si tu deviens le patron, n'oublie jamais de consulter ces fiches, je t'en ai montré le classement. Mon père avait commencé ce travail pour me faciliter la vie, je l'ai continué afin de te protéger. Si tu renonces au groupe, je te demande d'en brûler le contenu, nous sommes les seuls à pouvoir connaître ces secrets.

Si tu décides de prendre les commandes, sache bien que tu ne devras jamais te fier totalement à qui que ce soit, même à ceux dont tu as l'impression qu'ils m'étaient particulièrement dévoués. Beaucoup d'événements peuvent faire changer les hommes et modifier leurs comportements.

Tu ne peux et ne dois compter que sur toi, tu as constaté que nos affaires sont très cloisonnées, je l'ai voulu ainsi pour modérer les appétits et diminuer la lutte pour le pouvoir, bataille sans merci que se livrent les cadres supérieurs dans toutes les grandes affaires centralisées. Notre organisation demande une vigilance de chaque instant. Si tu choisis d'en prendre la responsabilité, tu dirigeras six sociétés au lieu d'une, sans compter la gestion du patrimoine immobilier et la fondation créée par ton grand-père pour protéger la collection de tableaux. Tu devras te battre contre Carlotta, son orgueil et sa bêtise.

Tu devras être sur tes gardes avec le pouvoir politique, et avec nos concurrents, l'empire Barzini est une proie convoitée ; tu n'auras que bien peu de place pour ta vie privée.

Je ne sais à quel âge tu liras cette lettre, j'espère le plus tard possible pour ta tranquillité, et je souhaite que tu réfléchisses bien avant d'engager ton destin.

Il est uniquement entre tes mains.

Ne pense qu'à ce que tu ressens et désires, tu n'as aucun devoir envers nos affaires.

Mes pensées ne te quitteront jamais.

Crois en Dieu, en la vie, en l'amour et en toi.

Ton père qui t'aime.

Federico.

Mon cœur se mit à saigner de douleur, et je pleurais par saccades, j'avais envie de crier ma peine et je ne pouvais pas y arriver.

Il m'avait toujours dit ce qu'inconsciemment j'attendais de lui, une fois encore il n'avait pas failli.

Il me jugeait capable de prendre la relève, il m'enlevait en quelques mots la peur que j'avais toujours eue de ne pas être à la hauteur, tout en s'inquiétant des embûches que je rencontrerais et de la vie solitaire à laquelle je serais condamnée si je choisissais le combat.

Merci Federico, merci pour tout ce que tu as été, mon père, mon ami, mon copain.

Bien sûr, je pourrais renoncer, vivre riche et oisive, voyager, me distraire, mais vois-tu, j'aime ce bureau, j'aime ce qu'il représente de créations, de recherches, de responsabilité, de travail, mais aussi de pouvoir. Depuis que j'ai eu l'âge de penser, j'ai toujours rêvé de travailler près de toi, ici, et un jour d'être digne de te succéder.

Ce jour est arrivé, trop tôt hélas, mais il est arrivé quand même. Je sais ce qui m'attend, je sais que je suis une femme dans un monde d'hommes et qu'ils me mèneront la vie dure ; pourtant je ne suis pas effrayée, cela fait si longtemps que je réfléchis à tout cela.

Ne t'en fais pas, caro Papa, je suis forte et je te promets de gagner. Demain je serai le « Patron » avec l'aide de ta pensée, celle de Dieu et le goût de la victoire qui est en moi depuis toujours.

*

Carlotta commença à empoisonner ma vie après avoir empoisonné celle de mon père, dans les jours qui suivirent.

Mon grand-père avait décidé de l'écarter en partie des affaires de la famille, tout en lui constituant un patrimoine très confortable. Malgré cette importante fortune, personne ne voulait l'épouser. Bête et méchante, le Tout-Turin et le Tout-Milan étaient au courant de son cas. Aucun prétendant n'avait pointé son nez jusqu'au jour où la marquise de San Cipriano, veuve, castratrice et ruinée, poussa son pauvre fils Leonardo, être falot aux yeux globuleux, dans les bras de Carlotta. Celle-ci avait trente-deux ans à l'époque, ni belle ni laide, brune aux yeux verts, un visage anguleux, un teint olivâtre, petite et mince, elle aurait pu être plaisante. Son célibat lui étant monté à la tête, elle prit possession de son mari d'une manière gloutonne.

Marquise de San Cipriano, son orgueil devint démesuré. Elle expulsa sa belle-mère du vieux palazzo en ruine, le restaura entièrement et, de ce jour, se prétendit protectrice des arts.

Entourée de flagorneurs obséquieux, elle clama partout qu'étant l'aînée de la famille, la collection de tableaux de son père serait à elle. Cette collection était très importante, près d'un millier de toiles, la plupart des grands maîtres des XVIIe et du XVIIIe siècles y figuraient, ainsi qu'une centaine d'impressionnistes. Un conservateur et un restaurateur en prenaient soin.

Sa rage fut effrayante le jour où Pietro lui apprit qu'il avait créé une fondation qui serait présidée après sa mort par Federico.

Elle développa à l'égard de son père une véritable haine, reportée ensuite sur son frère.

Obsédée par la possession des tableaux, elle fit un procès qui dura des années. L'ayant perdu, sa méchanceté décupla et elle ne savait qu'inventer pour nous embêter.

Elle avait essayé d'imposer ses deux fils, Felipo et Alfonso, dans le groupe, or non seulement ces garçons étaient peu doués, mais en plus mon père ne voulait pas introduire « le ver dans le fruit. » Néanmoins il s'en occupa et les fit entrer dans une banque.

Le jour où j'étais en train de signer les papiers qui me permettraient de succéder à mon père, Carlotta fit irruption chez le notaire.

Poussant des cris d'orfraie, bousculant les clercs qui tentaient de l'empêcher d'entrer, elle proclama que j'étais beaucoup trop jeune, inexpérimentée et incapable, pour présider à l'avenir de l'empire, et que ce poste revenait de droit à son fils Felipo.

Maître Falco lui expliqua gentiment mais fermement que j'étais la seule et unique héritière de la majorité du capital du groupe, et la pria de sortir.

C'est en vociférant qu'elle déclara :

« Tu vas voir ce que tu vas voir ! »

Quelques jours après, Renato m'informa que Michel Clavier était toujours à Milan et qu'il voyait fréquemment Carlotta. La guerre n'était pas encore déclarée, mais les hostilités étaient engagées. Je me demandais d'où viendrait le premier coup.

J'avais décidé de ne rien changer aux méthodes de management de mon père, il fallait d'abord que je fasse mon trou. Je m'installai sans faire de vagues et pris le collier, là où il l'avait laissé. Son emploi du temps ayant été établi pour les trois mois à venir, j'allais chausser ses bottes et l'honorer dans les moindres détails.

Mes premières difficultés surgirent avec Arturo Marelli, directeur général des éditions universitaires et scolaires. Ancien professeur d'université, Marelli était entré chez nous à l'âge de trente ans ; mon père l'avait formé, puis lui avait donné de plus en plus de responsabilités jusqu'au poste qu'il occupait aujourd'hui. Frisant la cinquantaine, assez imbu de lui-même avec sa petite moustache ondulée légèrement rouquine, de taille moyenne mais se tenant très droit pour ne pas en perdre un pouce, il s'installa devant moi de manière assez arrogante pour notre rendez-vous hebdomadaire. Après quelques civilités je lui demandai ses comptes prévisionnels, il me répondit qu'il ne les avait pas avec lui et que de toutes les façons cela ne pouvait pas intéresser une jeune dame comme moi. Il verrait cela directement avec Renato Carvi. Il ne voyait pas d'ailleurs l'utilité de me rencontrer toutes les semaines, une fois par mois suffirait.

Cette attitude me fit monter la moutarde au nez et je fus à deux doigts de lui répliquer vertement, mais sachant que ce serait maladroit, je me pinçai les mains sous la table du bureau afin de faire baisser l'excès d'adrénaline déclenché par ses propos. Calmée par ma douleur, je lui dis simplement que je comptais sur lui pour m'apporter ces fameux chiffres la semaine suivante, stoppant ainsi l'entretien.

Déjà du temps de Federico, il faisait comme si je n'existais pas.

Dès qu'il eut quitté la pièce, je me précipitai sur le coffret et pris la fiche le concernant.

ARTURO MARELLI : intelligent, travailleur, organisé, très cultivé, excellent gestionnaire, manque un peu d'imagination.

Complexé par son ancienne appartenance aux jeunesses fascistes. Marié, père de trois enfants. Une maîtresse régulière.

Professeur de sociologie – très à gauche.

Ne jamais lui lâcher la bride.

Suivait tout son curriculum vitae ainsi que le nom et l'adresse de la maîtresse. Dans le bas de la fiche, rajoutée au crayon, se trouvait une petite phrase : « Ma chérie, c'est le premier que tu devras mater. Bon courage. »

Cher Federico, il veillait sur moi.

Décidée à frapper un grand coup, j'appelai Alberta ma secrétaire et lui dictai une note destinée aux six directeurs généraux. Cette note précisait les jours et les heures de mes rendez-vous avec chacun d'eux, et énumérait de manière très claire les sujets qui seraient abordés à chaque fois, y compris les documents qu'ils devraient m'apporter. Je pris bien soin d'ajouter que copie de cette note était adressée à Messieurs Renato Carvi et Luigi Bucco, « pour information ».

Monsieur Marelli voulait me marginaliser, il allait voir que Bérénice Barzini avait du répondant.

Cette première manifestation de mon autorité sembla avoir été acceptée par tous, et nous commençâmes notre travail en bonne intelligence. J'avais un système de relance que m'avait enseigné Federico me permettant d'un seul coup d'œil sur mon agenda de me rappeler les questions posées la fois précédente ; ainsi mes interlocuteurs ne pouvaient pas faire d'impasse en espérant un oubli.

*

Cela faisait à peine deux mois que j'étais aux

commandes, quand un télégramme de Los Angeles arriva me demandant un rendez-vous pour le célèbre metteur en scène Jack Leber : il devait se rendre à Milan et souhaitait me rencontrer.

Le nom fit surgir de ma mémoire des souvenirs que j'avais occultés, ceux de la fameuse soirée romaine où j'avais pour mon malheur rencontré Michel Clavier. Que pouvait bien me vouloir ce monsieur ? Décidée à le recevoir, je fis répondre par l'affirmative en précisant le jour et l'heure.

Curieuse, je demandai à mon service de presse de me procurer le maximum d'informations sur lui : il était âgé de trente-quatre ans, sa carrière avait commencé alors qu'il était très jeune, à New York, dans le théâtre. « Découvert » par la célèbre Lisa Cavendish, celle-ci l'avait imposé à Hollywood, où de film en film, il avait acquis une grande célébrité. Ses origines étaient assez floues... Très réservé, personne ne connaissait vraiment sa vie privée, pas même les commères. Avait-il toujours une liaison avec Lisa ? Mystère...

Ce que j'appris sur cet homme et les photos qui accompagnaient le dossier, m'excitèrent. Je le trouvais beau et je me rappelais fugitivement son regard et ses gestes à la soirée romaine. J'attendis donc ce rendez-vous avec une certaine impatience.

Il arriva un jeudi après-midi où le ciel était bleu, le soleil couchant pénétrait par une des fenêtres en ogive du bureau du sixième, et son rayon poussiéreux traversait la pièce de part en part.

Je ne sais pas pourquoi mon cœur se mit à battre un

peu plus vite que d'habitude, ne pouvant quitter ses yeux lorsqu'il entra, me salua, et s'assit avec une certaine désinvolture en face de moi.

Il portait un blouson ample de daim noir sur un pull en cachemire à col roulé bleu comme ses yeux, ses cheveux châtain très clair légèrement frisés paraissaient blonds à la lumière du soleil. Il m'avait semblé grand et mince et je retrouvais le souvenir de ses mains fines, nerveuses et déliées aux gestes élégants.

Il s'exprima en anglais – langue que je maîtrisais avec aisance – et fut soulagé de voir que cela ne me gênait pas.

– Chère Madame Barzini, je suis ici parce que je voudrais acquérir les droits de votre fameux livre *l'Amore delle cinque donne* afin d'en faire un film. Les droits sont-ils libres ? Et dans ce cas, voudriez-vous traiter avec moi ?

J'étais abasourdie : à l'époque cet ouvrage n'avait pas encore été vendu aux Etats-Unis.

– Mais comment connaissez-vous ce livre ?

– Mon amie Ida Mark, célèbre agent et polyglotte, m'en a parlé avec enthousiasme, elle me l'a traduit, il m'a plu infiniment, et me voilà.

– Cher Monsieur, je suis flattée ; nous avons déjà eu des demandes pour ce livre, malheureusement Giovanni Testi, l'auteur, ne veut pas que nous cédions les droits et je ne souhaite pas le faire sans son accord.

– Débrouillez-vous, allez le chercher, mais je tiens à faire ce film.

Son ton calme et volontaire m'impressionna.

– Je peux lui téléphoner si vous le souhaitez, Giovanni habite Milan et je vais essayer de vous le faire rencontrer.

– D'accord. Je suis au « Principe di Savoia », organisez un dîner pour ce soir et faites-moi prévenir de l'heure et du lieu. Bien entendu vous êtes mes invités.

Il se dressa comme mû par un ressort et quitta le bureau après m'avoir cérémonieusement baisé la main. Je n'avais même pas eu le temps de le raccompagner à la porte, il avait déjà disparu.

*

Cette visite m'avait ébranlée, je n'étais pas habituée à ce genre de rencontre abrupte, et c'est comme à regret que j'appelai Testi pour lui faire part de cette visite et de son objet.

Comme d'habitude, il se montra alambiqué. Décidément, cet homme savait écrire mais était incapable de parler normalement. Je réussis quand même à le convaincre, tout en me demandant ce qui pourrait bien sortir de ce dîner. Je lui fixai rendez-vous chez « Romani », à vingt heures trente.

Ma secrétaire transmit le message à l'hôtel Savoia et je décidai de quitter le bureau sur-le-champ pour aller me faire une beauté.

Depuis des années, c'était la première fois que j'avais vraiment envie de m'occuper de moi.

Dans la voiture qui me conduisait chez le coiffeur, je me disais : « Attention, Bérénice, c'est un homme et tu sais que les emballements ne te sont pas bénéfiques, alors prends garde à toi. Pas d'amour, pas de souffrance, comme disait ta grand-mère. »

Heureusement nous n'en étions pas là et je me persuadais que je ne faisais que mon métier...

Dîner chez « Romani » était un vrai plaisir. La salle était divisée en mini-salons particuliers isolés les uns des autres par des vitraux et des plantes vertes. Une banquette bien rembourrée faisait le tour de la table. On se sentait chez soi, et les bruits feutrés permettaient la conversation.

Tous les tons de verts se mariaient avec quelques bleus et quelques roses pâles, la lumière douce embellissait les femmes. C'était un endroit cossu et chaleureux. La cuisine y était divine, une soirée dans cet endroit privilégié ne s'oubliait pas.

Testi arriva le premier. Depuis quelque temps il se déguisait en gentleman farmer, il ne lui manquait que la badine. Je me promis de lui en offrir une la prochaine fois. Il s'assit à côté de moi et me demanda pourquoi je voulais absolument que son livre soit adapté au cinéma.

— Je ne veux pas que mes personnages soient vivants, si vous cassez mes rêves, je suis un homme mort.

Il avait dû apprendre cette phrase par cœur, en général il n'arrivait pas à en prononcer une seule.

— Ecoutez-moi, Giovanni, c'est une merveilleuse chance, Jack Leber est un grand réalisateur, ce sera une production qui aura les moyens et vous pourrez gagner beaucoup d'argent. Cela relancera la vente du livre et nous permettra de le placer très bien aux Etats-Unis.

— Mais Bérénice, mes héros sont italiens, très

latins, comment un Américain pourrait-il me comprendre ?

Ce soir il était vraiment en verve, je me demandais quelle mouche l'avait piqué.

Sur ces entrefaites Jack fit son entrée.

Vêtu d'un costume d'alpaga bleu nuit sur un pull ras de cou en fine maille de soie blanche (il ne devait pas aimer les cravates), pochette blanche brodée dépassant légèrement de la poche, il était superbe.

La soirée s'annonçait spéciale, elle fut psychédélique. Testi ne parlant pas un mot d'anglais, je fus chargée de la traduction.

Après avoir commandé de délicieux « anti-pasti » composés de poissons et crustacés marinés, de petits pâtés de gibier, de champignons à l'huile et d'artichauts à la romaine, nous nous régalâmes de scaloppini au marsala accompagnés d'une purée d'épinards et d'un sabayon maison incomparable. Le tout arrosé d'un excellent valpolicella.

Jack me demanda de transmettre à Giovanni toutes ses félicitations pour son œuvre, mais finalement agacé par cette impossibilité de communiquer avec lui, se mit à lui raconter « son film » avec les mains en n'arrêtant pas de parler à une vitesse démoniaque.

Giovanni était médusé, au bout de deux heures de cette séance de haute voltige, l'air harassé, il se leva, regarda Jack dans les yeux, prononça deux lettres : « O.K. », et disparut nous laissant sans voix.

— This man is very strange, me dit-il après quelques minutes de silence en se tournant vers moi. What does O.K. mean ?

Je partis d'un immense éclat de rire, et je lui dis en tapant des mains :

– Vous avez gagné, il est d'accord, demain nous pourrons signer un contrat si vous le souhaitez toujours.

Avec un véritable rugissement de joie, il s'empara de mes deux poignets, les embrassa l'un après l'autre et appelant le garçon, commanda du champagne.

– Bérénice, nous allons passer une vraie bonne soirée.

Elle fut pour moi inoubliable. Il voulut absolument aller finir la nuit dans une boîte où nous dansâmes jusqu'à l'aube. Son corps s'accordait au mien parfaitement, sa chaleur et son enthousiasme étaient communicatifs.

Pour la première fois de ma vie, j'eus envie d'un homme. Il me raccompagna chez moi en me donnant rendez-vous pour le lendemain après-midi afin de signer le contrat avant son départ pour Rome.

– Je dois régler des affaires là-bas, puis je rentre à Los Angeles. Je reviendrai dans trois mois avec le scénario.

Je restais sur ma faim, il n'avait pas eu un seul geste qui aurait pu me faire penser qu'il s'intéressait un petit peu à ma personne.

J'avais pourtant mis toutes les chances de mon côté : fourreau blanc décolleté, maquillage de star, parure de saphirs assortie à mes yeux, chignon romantique, parfum suggestif. Pas une remarque, pas un mot, à part quelques pressions de mains lorsque nous dansions.

Je me glissai dans mon lit, heureuse, fourbue et un peu déçue.

La rencontre du lendemain fut rapide et professionnelle, je me demandais si je le reverrais un jour.

*

Le soleil s'était couché lorsque j'entrouvris les yeux. J'étais bien à Bel Soggiorno, dans cette chambre que j'aimais infiniment.

En regardant par la fenêtre je sentis la nuit proche. Les odeurs particulières de fin de journée montèrent à mes narines et me donnèrent envie d'aller me promener dans le parc embaumé.

J'enfilai prestement un pull et un pantalon, puis descendis à toute vitesse l'escalier de bois sculpté donnant sur le hall d'entrée.

Je passai ma tête à la porte de la cuisine en disant à Maria :

— Ne m'attends pas, laisse-moi quelque chose à manger sur la table, je vais faire quelques pas, puis je reviendrai me coucher. Ne m'en veux pas, j'ai tellement besoin de me sentir libre pour une fois.

Elle me fit un petit signe de connivence, et je m'éclipsai par le potager.

Je marchais dans le parc de ma chère Toscane, caressant au passage les arbres de mon enfance, respirant ses parfums enchanteurs, cueillant des fleurs çà et là, ne pensant à rien, qu'à la joie de me retrouver dans ces lieux où j'avais été si heureuse, où tous ceux que j'avais aimés étaient présents, si proches de moi que j'avais l'impression d'entendre leurs voix rassurantes : « Ne t'en fais pas, Bérénice, nous sommes là, avec toi, tu tiens le bon bout, encore un peu de courage et tu trouveras la lumière. »

En rentrant à la maison une heure plus tard, je me sentis un peu apaisée.

Je traversai le grand salon jaune et or comme une somnambule, mis les fleurs dans un vase et montai les escaliers avec difficulté.

Je m'enfouis dans mon lit, sans dîner, cherchant instinctivement une protection.

Quelques grillons se mirent à chanter, annonçant les prémices de l'été, le crépuscule approchait de son déclin, mon passé tourmenté resurgissait à nouveau.

*

Une année s'était écoulée depuis que Federico m'avait quittée.

Diriger l'empire comme il me l'avait écrit réclamait ma présence constante. J'étais sans arrêt sur le qui-vive, bien que Renato et Luigi soient des alliés précieux.

Ne pouvant pas tout faire, j'avais engagé un collaborateur sur les conseils de Renato pour s'occuper de la nouvelle collection dite « grand public » ; il avait trouvé une formule économique pour sortir des livres bon marché à grand tirage et trouver des manuscrits intéressants.

Tout semblait se passer assez bien, Carlotta s'était peu manifestée, Paolo allait avoir cinq ans et était de plus en plus adorable.

Un après-midi je fus appelé par la nurse affolée.

— Madame, madame, le petit a été kidnappé.

Mon sang ne fit qu'un tour. J'appelai Renato et nous partîmes à fond de train à la maison.

A travers le récit chaotique de Rosetta, nous comprîmes qu'un couple s'était approché de Paolo au jardin et en quelques secondes l'avait enlevé et embarqué à bord d'une voiture noire.

J'étais effondrée. Les enlèvements d'enfants se multipliaient depuis quelque temps en Italie, ils étaient organisés par les mafias calabraise et sicilienne pour obtenir des rançons conséquentes.

La police alertée par Renato arriva très vite et m'expliqua qu'il fallait attendre, dans quelques heures nous serions fixés.

Ce ne fut pas la mafia qui appela, mais Michel Clavier.

— Mon fils est avec moi, tu ne veux pas que je vive avec vous à Milan, eh bien désormais il restera en France dans ma famille. Si tu veux le revoir, tu n'as qu'à venir nous retrouver.

Et il raccrocha.

J'avais eu tellement peur que malgré tout ce coup de téléphone me rassura. Paolo était en vie, il n'était pas en danger, je ne pus prononcer qu'un mot : « Salaud ! » Immédiatement j'appelai Luigi et Maître Falco. Que pouvais-je faire ? Quels étaient mes droits ? Ils furent tous les deux très pessimistes.

— Vous êtes mariés selon la loi italienne, la femme doit suivre son mari. Nous allons réfléchir et voir quelle procédure nous pourrions engager. A priori il n'y a pas beaucoup d'issues.

Je n'étais sans doute pas une mère très disponible pour mon fils, mais je l'aimais et l'imaginer élevé par cette famille qui me déplaisait me remplit d'amertume. J'étais prise au piège, pourquoi n'avais-je pas écouté Federico !

Renato, plein de compassion, me conseilla de prendre patience, et d'essayer de savoir ce que Michel avait derrière la tête.

– Il ne s'est pas intéressé à son fils pendant cinq ans. Son attitude actuelle fait sûrement partie d'un plan, tous ses conciliabules avec votre tante Carlotta sont là pour le prouver. Maintenant que vous êtes rassurée sur son sort, prenez un bon somnifère et dormez.

Merveilleux Renato, calme et pratique. Avec lui il y avait toujours une solution aux problèmes, il fallait seulement la trouver. Je pouvais me reposer sur lui, il était brillant en affaires et mon père se fiait tout à fait à lui. Mais je ne savais rien de sa vie personnelle, ni même qui il était en réalité. Bel homme, élégant, toujours prêt à me rendre service, mes sentiments pour lui étaient très compliqués parce que je le sentais de ma famille sans qu'il en fasse vraiment partie.

Les semaines passèrent sans apporter de réponse constructive. Je languissais de Paolo, mais il était hors de question que je cède à un quelconque chantage.

Jack Leber n'avait pas reparu, il avait envoyé un petit mot, expliquant qu'il rencontrait des difficultés pour monter la production et qu'il nous ferait signe dès qu'il aurait des nouvelles positives à nous communiquer. Le scénario était presque terminé, « à bientôt », disait-il. Cela faisait maintenant plus de six mois.

Mes émois étaient oubliés, le travail, les soucis et le chagrin de l'enlèvement de Paolo les avaient effacés. Une pensée lancinante m'empêchait d'être aussi efficace qu'auparavant : comment faire pour récupérer mon fils ?

Mon père m'avait souvent répété de ne jamais montrer ses faiblesses, je traversais un passage à vide, c'est le moment que choisirent les banques, excitées par Carlotta et sa progéniture, pour me mettre l'épée dans les reins. Nous avions entrepris la rénovation des imprimeries de Turin, dont celle où nous éditions les livres d'art. De nouvelles machines offset très performantes avaient vu le jour, et à l'instigation du directeur de ce département, le directeur de l'imprimerie, Carlo Nardi, m'avait convaincue de l'urgence de ces investissements pour rester compétitifs. Renato s'était un peu fait tirer l'oreille, mais avait finalement trouvé un montage financier viable.

Nous avions dû cependant contracter un gros emprunt et des retards dans la livraison du matériel nous avaient mis dans une situation dangereuse. Pour la première fois Renato se montra inquiet.

– Je ne comprends pas ce qui se passe, j'ai la sensation que nous sommes victimes d'un complot, je crois qu'il faut envoyer un émissaire en Allemagne.

– Renato, faites ce qu'il faut, je suis lasse, en plus j'ai de gros problèmes avec Alberto di Maresca, le gestionnaire du patrimoine immobilier. Il paraît que la ville de Milan veut nous exproprier un des immeubles qui rapportent le plus. Les élections sont proches et Alberto prétend que si nous n'arrosons pas les deux partis qui peuvent gagner, l'expropriation aura lieu à un prix dérisoire. Comment faisait Federico pour rester à l'écart de la politique ?

– C'est bien ce que je pensais, ma chère Bérénice, nous sommes victimes d'un complot, celui-ci a dû être initié par votre famille, mais cela a suscité des appétits, ils vous sentent fragile, ils vont donc attaquer de tous les côtés.

– Renato, aidez-moi, je ne sais pas comment m'y prendre.

– Faites patienter Maresca, je vais lancer une rapide enquête pour savoir qui veut votre peau, je suis avec vous, Bérénice, ne l'oubliez pas.

Ces paroles me donnèrent un peu de courage.

A la fin de la semaine, Renato détenait enfin des informations capitales : la banque qui menait la danse était le Credito Popolare, où travaillaient les deux fils de Carlotta. Le président avait été un grand ami de Federico. Aujourd'hui à la retraite, il était remplacé par un certain Mardone, à la réputation très douteuse. Pour l'affaire allemande, il avait découvert que les Grands Magasins Clavier détenaient des intérêts dans la société qui fabriquait les rotatives. Michel avait fait pression sur eux pour retarder les livraisons. Comment pouvait-il savoir que nous avions commandé ce matériel ? Quelqu'un nous espionnait, mais qui ?

Pour l'immeuble de Milan, l'histoire était plus floue, une connivence entre Maresca, Mardone et le socialiste Coggio était possible, chacun espérant tirer un gros profit de cette opération.

Renato me conseilla de réfléchir et de le rappeler si

j'avais besoin de lui. Il ne voulait pas peser sur moi, je lui en sus gré.

Enfermée dans le bureau du sixième étage, je l'arpentais de long en large. Qu'allais-je faire ? Federico, aide-moi, je t'en prie. Une onde traversa mon oreille droite : étais-je bête ! Le coffret, pourquoi n'y avais-je pas pensé avant ? Cela faisait des mois qu'il dormait dans la chambre forte. J'ouvris fébrilement la porte et m'emparai presque comme une voleuse de cet objet qui me sembla magique. Federico pouvait-il vraiment me protéger par delà son absence ?

J'étais tellement anxieuse que mes mains tremblantes n'arrivaient pas à enfoncer la clé dans la serrure. Après quelques secondes difficiles, le couvercle s'ouvrit et je me ruai sur les fiches.

Maresca, Mardone, Coggio, tous les trois étaient présents. Je retirai les trois cartons et me plongeai avec gratitude dans la prose de mon père.

ALBERTO DI MARESCA : Fils de Giuseppe di Maresca.

Durant la guerre, Giuseppe a été notre homme de paille, grâce à lui l'empire Barzini fut sauvé. Mort d'un cancer dans les années cinquante, il nous avait demande d'engager son fils qui n'avait pas été capable de faire des études.

Par reconnaissance je lui ai appris à gérer nos immeubles et propriétés. Un dossier concernant chaque bien se trouve dans la chambre forte. En cas de gros problèmes, le licencier en lui faisant don de l'immeuble de Bologne, dette morale oblige. L'écarter de Milan grâce à cela.

Le remplacer si possible par Stefano Magra, premier clerc chez Maître Falco. Très capable, ne pouvant pas s'acheter une étude, ce poste doit l'intéresser.

VITTORIO MARDONE : Fasciste de la première heure, blanchi à la Libération après une collaboration honteuse avec les Allemands. Plusieurs dizaines de personnes ont été déportées à cause de ses dénonciations. Un dossier à son nom comporte une photo très compromettante. Si nécessaire, la lui montrer, il comprendra. Le négatif est à part. C'est un lâche et un opportuniste.

VITO COGGIO : Navigateur politique, des communistes aux démocrates chrétiens, il a appartenu à tous les partis.

Aujourd'hui socialiste, lié à la mafia, c'est un homme dangereux. Son talon d'Achille, une fille anormale dans un couvent près de Venise, fruit de ses amours avec sa sœur. Les aveux de la sœur et de la mère de Vito figurent dans le dossier à son nom.

Merci Pietro, merci Federico ! Ils me sauvaient et sauvaient l'empire. Sans eux, sans leur vigilance et leurs plans à très long terme, nous n'aurions probablement jamais existé. Une pensée fugace me traversa l'esprit : il faudrait que je continue ce travail pour mon fils.

Je pris contact avec ces différentes personnes, en commençant par Coggio. Il ne fit aucune difficulté pour venir me voir, pensant certainement qu'il allait toucher son enveloppe.

L'homme était petit, rond, rougeaud et très volubile. Je distillais mes propos en faisant allusion à sa sœur Cristina que mon père avait bien connue ; son visage commença à blanchir. Puis je lui parlai de sa mère, et enfin du couvent de Santa Croce.

Je n'eus pas besoin de continuer. Il se leva le diable à ses trousses et se précipita à la porte sans dire un seul mot, désireux de mettre le plus de kilomètres possibles entre lui et ce bureau piégé.

L'entrevue avec Mardone ne fut pas aussi facile. Ce personnage de soixante-huit ans, nouveau président du Credito Popolare, avait refusé de se déplacer ; je devais donc aller le voir dans son établissement. Or, se rendre chez la personne que l'on veut intimider est toujours une faiblesse. Il fallait que je trouve un truc pour l'obliger à venir à mon bureau.

Il était riche, puissant, avait construit sa fortune sur les cadavres des autres, et mon mépris pour lui était total, je rêvais de le mettre au tapis. Par la poste, il eut la surprise de recevoir la moitié de la photo du dossier, la partie où il figurait en uniforme allemand, les bras tendus vers quelqu'un... (Himmler).

Le lendemain, Mardone m'appelait, m'expliquant que tout compte fait, j'étais une femme et que c'était à lui de se déranger.

Il arriva, imposant et impérial, avec quand même une petite lueur d'inquiétude dans son œil pâle au blanc strié de petites veinules rouges.

Il s'assit dans le fauteuil à la manière d'un homme qui a l'habitude de commander et m'attaqua :

— Alors madame, que puis-je faire pour vous ?

Sans me démonter, je lui répondis du tac au tac :

— Mais, ne plus vous occuper de mes affaires.

— Je ne m'occupe pas de vos affaires, ce serait plutôt vous qui fouillez dans les miennes.

— Ne jouez pas au plus fin avec moi, cher monsieur, je vous le conseille vivement.

— D'accord, d'accord, le négatif de la photo contre votre tranquillité.

— Jamais. Ce sera ma tranquillité contre mon silence. C'est tout ce que vous obtiendrez de moi.

— Vous savez que vous êtes vulnérable, chère madame, vous avez un fils et il se passe beaucoup de choses à Milan ces derniers temps... Le négatif contre la sécurité de votre fils.

Pour une fois Michel Clavier me servait : Paolo était en France.

— Chantage contre chantage, c'est votre politique, mais cher Monsieur vous m'avez attaquée, je riposte. Laissez les Barzini tranquilles et je me tairai. C'est mon dernier mot.

En prononçant ces paroles je me levai, lui signifiant que l'entretien était terminé.

Il soupesa une minute ma détermination, puis se leva à son tour. Appuyé sur sa canne à pommeau d'argent, il quitta mon bureau sans un mot.

Il cédait sans vouloir l'avouer ; malgré tout je décelai une menace dans son regard. L'entretien avait été bref, pas plus de quelques minutes, mais j'étais vidée. La tension entre nous avait été si intense que j'avais l'impression qu'il avait duré des heures.

Je m'étais ramassée comme un boxeur sur le ring et

j'avais gagné une fois encore grâce à Federico. Il me restait à régler le problème du dernier protagoniste, Alberto di Maresca.

Nos rapports avaient toujours été courtois. D'aspect fragile, avec un visage étroit, un nez pointu, une peau blafarde, il ressemblait à un raton laveur. Depuis un an, je ne m'étais pas beaucoup penchée sur les affaires immobilières et, à part ma réunion hebdomadaire avec lui, mes pensées avaient été éloignées de ce secteur. J'avais sûrement eu tort, parce que vu la liste impressionnante de nos biens, j'aurais dû m'en occuper davantage. Rien qu'à Milan, nous étions propriétaires de dix immeubles de bureaux, à Rome sept, à Turin douze, sans compter les maisons de Lugano, de Bellagio sur le lac de Côme, d'un palazzo à Venise, d'un hôtel particulier à Paris, d'un autre à Londres, de celui que j'habitais, plus quelques propriétés agricoles par-ci par-là, et de *Bel Soggiorno*. Tout cela, il fallait l'entretenir et je me demandais pourquoi je gardais toutes ces maisons où je n'allais jamais.

Les propriétés étaient entrées dans la famille par les femmes, les immeubles avaient été acquis par les hommes et servaient à les entretenir.

Avec Maresca, tout se passa simplement : je lui rappelai la dette morale de ma famille envers son père qui, en dehors d'un important salaire, puis d'une pension pour sa mère et d'une situation pour lui, n'avait rien voulu accepter d'autre. Je lui expliquai qu'étant donné les circonstances, il était préférable que nous nous séparions. Je comprenais ses problèmes, et afin de l'aider à les résoudre, je lui faisais don de l'immeuble de Bologne. Celui-ci était non seulement d'un bon rapport, mais avait aussi l'avantage de posséder un appartement vide où il pourrait emménager sans délai.

Maresca était un faible, sa femme était bolognaise, il accepta aisément. Je perçus même chez lui un certain soulagement.

Mon admiration pour Federico ne faisait que grandir.

Renato, avec beaucoup d'adresse, avait réglé le conflit allemand, nous pouvions momentanément respirer, la tempête avait été rude mais nous en sortions avec une grande estime mutuelle.

Rien n'avançait du côté de Paolo, j'en souffrais profondément. Notaire et avocat ne m'avaient fait aucune proposition. Je ne savais ni quand, ni comment je reverrais mon fils.

Michel Clavier ne se manifestait pas et je trouvais ce silence dangereux.

Enfin, Renato commençait à être de mon avis. Notre vigilance devait s'accroître partout, nous n'étions pas à l'abri d'une attaque surprise.

Un matin d'avril, Alberta me sonna pour savoir si je voulais prendre une communication : Monsicur Leber désirait me parler.

— Bien sûr, passez-le moi.

Depuis la fameuse soirée et la signature du contrat, un an s'était écoulé, sans nouvelles, sauf la petite carte qu'il m'avait adressée six mois plus tôt.

— Allô ! Jack, où êtes-vous ?

— Mais à Milan, ma chère.

— A Milan ? Vous ne m'avez rien dit, je ne m'y attendais pas.

— J'aime les surprises. Ça y est, j'ai le scénario et j'ai convaincu mon producteur favori, Joseph Kratz, de le financer. Je viens vous le montrer comme convenu dans notre contrat. Surtout à votre auteur farfelu. J'espère qu'il sera satisfait, nous avons suivi le livre de très près. Quand puis-je venir ?

J'avais envie de répondre « tout de suite », mais je me contrôlai à temps. Entendre sa voix m'avait provoqué un petit pincement au cœur.

— Cet après-midi vers dix-sept heures si cela vous convient ?

— Dînons plutôt ensemble, comme la dernière fois, j'en ai gardé un excellent souvenir. Je vous laisse choisir l'endroit, vous avez très bon goût.

— Si vous voulez. Je vais appeler Giovanni et nous vous retrouverons au restaurant.

— Ah non ! Par pitié, pas de Giovanni au dîner, je vous donnerai le scénario et vous lui ferez la traduction une autre fois. Nous dînerons tous les deux. Je viendrai vous chercher chez vous à vingt heures. Donnez-moi votre adresse.

Cet homme avait l'art des décisions rapides.

J'obtempérai et raccrochai après l'avoir remercié de son invitation.

C'est dans une petite robe de jersey gris très simple, sans autre bijou qu'une paire de longues boucles d'oreilles en opale, souvenir de ma mère, que je l'accueillis le soir-même.

Je me sentais anxieuse, heureuse, un peu angoissée, n'ayant plus un souvenir très précis de sa personne.

Sa présence chaleureuse balaya toutes ces sensations

et je l'invitai à prendre un verre avant de partir. Il accepta avec plaisir.

Nous nous installâmes dans ce que j'appelai « ma pièce à vivre ». J'avais complètement modifié ce salon depuis mon retour définitif à Milan. Vaste et agréable, il ouvrait sur le jardin. Les murs étaient ornés de tapisseries anciennes aux couleurs incertaines, dans un coin une vieille table ovale avec un pied central supportait quelques pièces d'argenterie, des chandeliers aux bougies blanches allumées et des objets rares que nous avions trouvés avec Federico au hasard de nos « chineries ».

Dans une autre partie, deux canapés profonds recouverts de tissu cachemire aux motifs fondus à dominante ocre se faisaient face, séparés par une grande table basse, chargée elle aussi de bibelots, d'un plateau avec des verres et d'une bouteille de vin de noix que me préparait Maria Baldi.

Derrière l'un des canapés, un coffre italien du XVIIe sur lequel une lampe ornée de multiples cristaux dispensait une lumière scintillante et mystérieuse. Non loin de là, une commode florentine du XVIIIe aux délicats bronzes dorés me rappelait ma chère Toscane.

Quelques poufs recouverts de châles occupaient l'espace.

Au coup d'œil que Jack lança tout autour, je compris que ce « décor » lui plaisait. Il ne fit néanmoins aucune réflexion et s'assit très à l'aise dans un des canapés.

Je m'installai en face, tout en lui demandant ce qu'il voulait boire.

Les yeux dans les yeux, nous restions immobiles.

Cet homme me troublait. Son élégance ajoutait à sa séduction. Je détaillais avec plaisir son sobre complet gris aux fines rayures blanches, très british, sa chemise d'un bleu accordé à la couleur de ses yeux qui soudain s'assombrirent ; je vis ses traits se contracter, ses lèvres se serrer. Que se passait-il ? Regrettait-il d'être venu ici ? L'inquiétude me noua la gorge.

J'attendais sa réponse lorsque, approchant son buste de moi et me regardant avec insistance, il me déclara :

– Vous m'avez manqué.

Mon cœur se mit à battre plus vite. Un peu confuse je lui répondis :

– Vous aussi.

En une seconde nous étions dans les bras l'un de l'autre, la passion embrasa nos corps ; bouleversée je compris qu'il éprouvait pour moi un désir aussi intense que celui que j'éprouvais pour lui, nous ne pouvions plus reculer, nous avions déjà perdu trop de temps. Nous devions nous fondre l'un dans l'autre, là, maintenant, tout de suite.

Miraculeusement accordés, nos gestes s'appelaient, et tout en l'entraînant vers ma chambre dans une sorte de danse où nos vêtements tombaient à terre, à l'image d'un chemin de croix ensorcelé, j'espérais que ce lit vers lequel nous cheminions ensemble serait enfin pour moi celui de l'amour. Ce qui se passa ensuite est l'histoire d'un homme et d'une femme qui s'aperçoivent brutalement de leur désir sans chercher le pourquoi ni le comment, sans vouloir penser aux lendemains, seulement capables de vivre le moment présent, voulant absolument savoir si la réalité sera à la hauteur de leurs rêves les plus fous.

Il n'y eut pas de restaurant, pas de scénario, en une nuit nous créâmes notre propre film et au petit matin nous espérions éviter de voir s'inscrire devant nos yeux émerveillés le mot « Fin ».

Jack disparut tôt, il devait prendre un avion pour Rome. Les mots entre nous avaient été rares.

J'ouvris la fenêtre pour respirer les parfums printaniers du jardin et je m'allongeai sur ce lit où haletante, les yeux clos, j'avais vécu des moments uniques. Reverrais-je un jour cet homme qui m'avait enflammée ? Nous nous étions quittés sans promesse, sans rendez-vous, sans rien d'autre quc le souvenir de la passion qui nous avait étreints.

*

Mon entrevue avec Stefano Magra, le clerc de maître Falco, fut tout à fait positive. C'est avec joie qu'il rejoindrait le groupe Barzini, son patron ne s'y opposerait pas, il en était tout à fait certain.

Je lui parlai de mes objectifs dans ce domaine, conserver toutes ces propriétés dont l'entretien était extrêmement onéreux me semblait à notre époque un luxe aberrant. A condition de ne porter préjudice à aucune personne employée par nous, j'envisageais de me défaire de certaines d'entre elles. Il faudrait aussi vendre des immeubles vétustes et moins rentables pour en acheter d'autres plus modernes. Nous discuterions de tout cela par la suite.

Je comptais sur lui pour me proposer un plan de

désinvestissement et de réinvestissement. Cette idée le séduisait et il m'affirma pouvoir commencer à travailler chez nous au plus tard dans deux mois.

Je me sentis soulagée.

*

Mon avocat avait finalement obtenu que Rosetta, la nurse de Paolo, aille le retrouver pour s'occuper de lui. Les parents de Michel, chez lesquels il se trouvait, s'étaient laissés fléchir dans l'intérêt de l'enfant. Il avait de plus engagé un détective privé chargé de suivre Michel pas à pas, afin de prouver que sa vie dissolue était incompatible avec la garde de son fils. Il espérait aboutir prochainement.

De nouveaux problèmes surgissaient dans l'entreprise : cette fois, j'avais des dissensions avec Enrico Goldi, le responsable des collections Essais, Biographies, Fiction. Il pensait être capable de succéder à mon père dans ses rapports privilégiés avec les auteurs. Il n'avait hélas ni le talent, ni la persuasion, ni le charisme nécessaires, aussi avait-il de gros problèmes avec eux, certains commençaient à vouloir partir chez les concurrents.

Il avait créé à mon insu des comités de lecture qui n'avaient pour seuls effets que de retarder les programmes de parution et perdre un temps précieux en palabres. Il fallait absolument que je reprenne en mains ce département. Je me demandais comment Federico arrivait à mener à bien tout ce qu'il entreprenait. Personnellement, j'avais beaucoup de mal. Pourtant, de son vivant, cela me semblait facile.

Aujourd'hui je portais tout le poids de ce groupe et par moment cela me semblait pesant.

Son pouvoir n'avait jamais été contesté, le mien n'était pas encore établi ; pour le moment je courais après lui, sans être vraiment sûre de le posséder un jour. Ma condition de femme était un sérieux handicap et hériter d'un empire loin d'être une sinécure. Federico m'avait bien prévenue, je m'en apercevais chaque jour davantage.

*

Un rayon de soleil surgit dans ma vie, un vendredi soir, vers vingt-deux heures. Jack m'appelait de Rome où il avait bouclé son planning de tournage, il souhaitait passer le week-end avec moi si j'étais d'accord évidemment.

Cela faisait un mois que j'étais sans nouvelles, je m'étais peu à peu habituée, même si cela m'était douloureux, à une « brève rencontre »

Sa voix me fit chaud au cœur et j'acceptai sans réticence. Mais où ?

Falco m'avait mise en garde sur ma vie privée : « Attention, m'avait-il dit, parce que votre mari aussi peut vous faire suivre. »

Je réalisai que le lieu le plus anonyme était sans nul doute son propre hôtel à Rome. Je lui expliquai brièvement mes problèmes, lui demandant de me réserver sous un nom d'emprunt, « Mrs Brown », une chambre pour le lendemain.

– Je prendrai le premier avion. Surtout ne viens pas me chercher, je serai là au plus tard à onze heures.

— Je suis au Flora, me dit-il en raccrochant.

Le premier vol pour Rome partait à huit heures, je mis mon réveil à six, prenant soin de laisser un mot pour prévenir de mon départ sans dévoiler ma direction. Je préparai rapidement une valise, jetai un regard détaché sur la pile de dossiers que j'avais emportés pour travailler, mais mon âme étant buissonnière, je m'endormis pour quelques heures sans remords.

*

Je connaissais le Flora, en haut de la via Veneto, un vieil hôtel au charme désuet. Cela me plaisait que Jack séjournât dans cet endroit fréquenté surtout par des Anglais.

Le garçon me conduisit au cinquième étage et me fit pénétrer dans une suite en rotonde donnant sur les jardins de la villa Borghese.

De ravissants bouquets de fleurs des champs s'épanouissaient dans des vases de Venise, sur une table roulante une bouteille de Dom Pérignon attendant dans son seau glacé qu'une main joyeuse fasse chanter ses bulles voisinait avec une assiette de saumon fumé, une jatte de caviar glacé et des coupes de fruits.

Ces attentions délicates me ravirent. Jack était un homme raffiné, bien différent de ces stéréotypes affectionnés par les Européens lorsqu'ils parlent des Américains « rustres et enfantins ».

J'avais envie d'être belle pour le retrouver après ce long mois d'incertitude. Un bain moussant parfumé me délassa et c'est en enfilant un déshabillé vaporeux de Laura Gritti que je demandai au standard le numéro de sa chambre.

La conversation fut « brevissima »...

Quelques minutes plus tard nous étions dans les bras l'un de l'autre, aussi passionnément épris que la première fois. Deux jours et deux nuits de folie, de volupté, de rires et d'émotions nous furent accordés.

La redécouverte de gestes ébauchés, libérés enfin de la retenue inconsciente des premières étreintes, nous ouvrit les portes de la complicité.

Il commença à me parler de lui et je commençai à lui parler de moi.

Tandis qu'il se rhabillait devant la fenêtre, je contemplais son corps musclé, athlétique, et je retrouvais avec plus de force l'étrange sensation de l'avoir toujours connu.

Il revint s'asseoir au bord du lit, se pencha pour m'embrasser, repoussant en souriant ma mèche de cheveux qui lui tombait dans les yeux.

– Je t'ai aimée, je t'ai désirée dès l'instant où je t'ai vue la première fois dans ton bureau.

– Moi aussi.

Je m'abandonnais à ce bonheur que, pour une fois, je me refusais à analyser.

Mes amertumes passées, mes rancœurs, mes humiliations avec Michel, tout était oublié, balayé par la tempête qui venait de me soulever. L'armure que je m'étais forgée autour du cœur avait fondu au contact de Jack. La compréhension qu'il manifestait de mes pensées les plus secrètes avait fait disparaître ma méfiance naturelle. Je m'étais donnée à lui sans la moindre réserve et m'émerveillais de me sentir enfin libérée et légère.

Je devais rentrer à Milan, il était attendu à Hollywood. Nos retrouvailles auraient lieu à Bellagio, sur le lac de Côme, dans la maison favorite de ma grand-mère fantasque, juste avant le début du tournage de *l'Amore delle cinque donne*. Notre rencontre était exceptionnelle et j'avais besoin de lieux insolites et familiers pour savourer pleinement notre aventure.

Je découvrais l'amour comme un gourmet déguste un plat de roi, par petites bouchées délicieuses. Le désir de nous connaître mieux pointait son nez. Nous avions entamé une partition dont les notes brèves ou longues, noires ou blanches, chantaient à nos oreilles sans savoir si nous serions capables de les jouer jusqu'au bout.

*

Aussitôt rentrée, je me replongeai dans le travail, les entreprises Barzini, elles, ne pouvaient pas attendre. Plusieurs conseils d'administration devaient avoir lieu, à commencer par ceux des entreprises de Turin.

Tout avait été préparé comme d'habitude par Renato Carvi et Luigi Bucco.

Mon père ayant eu la sagesse de me faire assister à plusieurs d'entre eux afin de me familiariser avec ce genre d'assemblées, je n'étais donc pas inquiète en pénétrant avec assurance, l'esprit serein, remplie des joyeux souvenirs de mon escapade amoureuse, dans la majestueuse salle aux boiseries sculptées et au plafond rempli d'angelots, peint par un artiste vénitien, « protégé » de ma grand-mère Donatella.

Je jetai un rapide coup d'œil autour de la table et je vis, comme d'habitude, Carlotta, qui ne manquait jamais une occasion de montrer qu'elle était bien une Barzini, même minoritaire, puis les gens maison, Renato, Luigi, Carlo Nardi, les deux représentants de la Banque Internationale de Lugano, mais pas ceux du Credito Popolare de Milan dont Vittorio Mardone, l'homme que j'avais neutralisé, était le président.

Je saluai tout le monde, leur souhaitant la bienvenue selon la tradition et, me tournant vers Renato, je lui dis :

— Attendons l'arrivée des manquants avant d'ouvrir la séance.

Le regard goguenard de Carlotta me glaça. En une fraction de seconde je sentis le danger comme le chien renifle le passage du sanglier avant le début de la battue. Une crainte angoissée s'empara de mon esprit, se transformant en une sorte de panique lorsque la porte s'ouvrit sur Michel Clavier faisant son entrée l'air triomphant. J'avais humilié Mardone, il se vengeait. En vendant les actions détenues par la banque à Michel Clavier, il avait appris par Carlotta qu'il me donnait un coup de poignard dans le dos.

Federico pensait que Michel ne pourrait jamais pointer son nez dans nos affaires, pour une fois il s'était trompé et je devais affronter seule, sans filet, cette situation extrêmement pénible.

Je haïssais cet homme qui m'avait épousée à la suite d'un pari, qui m'avait volé mon fils. Je me jurai que, dussé-je y consacrer ma vie entière, je l'expulserai de l'empire Barzini dans lequel il venait d'entrer par effraction.

Carlotta et Michel quittèrent la séance bras dessus, bras dessous. Le crapaud et la vipère ne pourraient pas cheminer longtemps ensemble. Cette image me donna un peu de courage. Mais ce fut surtout la sincère affection de Renato qui me fut précieuse.

Nous rentrâmes à Milan sans nous faire de commentaires ; le temps des hostilités était terminé, la guerre désormais battait son plein. Nous ne savions ni les uns ni les autres combien de temps elle durerait.

*

Il me fallut une semaine pour retrouver mes esprits et décider avec Renato d'un plan de bataille.

Avant toute chose, je voulais revoir mon fils.

Maître Falco avait trouvé un moyen pour le récupérer, mais Renato, terrorisé par les enlèvements, me conseilla d'attendre un peu.

– C'est trop dangereux, Bérénice. Coggio et Mardone sont vos ennemis, ces gens-là sont capables de tout. Laissez votre fils en France, c'est plus prudent. Essayez plutôt d'aller le voir là-bas.

Renato avait raison et j'avais une idée.

Durant mon bref mariage, une grande sympathie était née entre le grand-père maternel de Michel, le député Aristide Michalon, et moi. Cet homme truculent et plein d'humour respirait la joie de vivre et l'intelligence. Conseiller général, maire, puis député, il était connu pour ses bonnes fortunes et sa chaleur communicative. A la retraite depuis peu, il vivait dans une propriété au sud de Lyon ; j'allais lui demander d'inviter Paolo et je viendrais chez lui secrètement.

Aristide fut ravi de jouer un tour à son gendre et à son petit-fils qu'il n'aimait pas beaucoup, et accepta avec malice de me rendre ce service.

— Ma chère Bérénice, je trouve le comportement de Michel inadmissible, je serai très heureux de vous accueillir. Comptez sur moi, Paolo sera là.

— Merci Aristide (je l'avais toujours appelé ainsi, je trouvais son prénom superbe), j'attends votre feu vert.

La semaine suivante j'arrivais aux *Bréguières* après un véritable voyage au long cours. Milan-Lyon est beaucoup plus compliqué que Milan-New York. Enfin j'étais là et Paolo se jeta dans mes bras, il m'embrassa comme un fou, les larmes me montèrent aux yeux, comment lui expliquer qu'il ne pouvait pas revenir avec moi en Italie, qu'il y avait trop de risques ? Me comprendrait-il ? Je l'espérais mais je n'en étais pas très sûre. Il se dirait peut-être que je ne l'aimais plus, pourtant mon amour pour lui n'avait jamais été aussi fort.

Aristide fut merveilleux. Il nous emmena nous promener dans les bois, nous raconta le nom des arbres, celui des champignons, le cri des oiseaux. Paolo l'écoutait avec admiration, il mit sa petite main dans la sienne et lui dit, en français, avec son accent chantant : « Encore grand-père, encore, je voudrais toujours rester avec toi, garde-moi je t'en prie, je ne veux pas retourner à Lyon, j'aime pas papy. »

Mon cœur me fit mal. Pourquoi cet enfant devait-il souffrir à cause de nous ? La vie était trop cruelle et je me jurai de mettre bon ordre à cela. Je ne pouvais supporter sa souffrance, je l'avais mis au monde pour qu'il soit heureux et le chagrin dans ses yeux me faisait chavirer.

Aux *Bréguières*, Louise prenait soin de la maison et de « Monsieur le député ». Elle régnait aussi sur la cuisine et nous fit déguster des spécialités auvergnates : aligot, chou farci, saucisson en croûte, potée, fouasse, le tout arrosé de vieux bourgogne. Je me demandais comment Aristide pouvait résister à une nourriture aussi riche et j'étais fascinée par ses capacités digestives. Grand, majestueux, à peine enrobé, ses yeux bruns pailletés d'or étaient vifs et rieurs. Quant à sa conception de la France et des Français, elle était pleine d'humour.

— Que veux-tu, nous sommes un peuple querelleur, tu n'as qu'à lire notre histoire : chez nous la guerre est omniprésente entre les clans, les classes, les corporations, les partis, les religions, les factions, les régions, les provinces contre Paris, et à Paris la rive droite contre la rive gauche. Comment veux-tu que nous nous entendions avec les autres quand nous ne sommes pas capables de nous entendre entre nous ?

Nous avons un tempérament impossible, nous n'aimons que les discussions, les controverses, les rivalités et la confusion. Nous ne faisons que des bêtises en chantant Cocorico et ensuite nous cherchons des sauveurs, Napoléon, Clémenceau, de Gaulle... Comme nous sommes à la fois anarchistes et despotes, nous sommes incapables de vivre tranquillement.

Heureusement je suis à la retraite. Cinquante ans de vie aux prises avec mes concitoyens m'ont amplement suffi. Maintenant je les regarde de mon fauteuil sur l'écran de la télévision, et parfois je me tape sur les cuisses en rigolant tout seul.

Aristide aimait la vie, la nature et les poètes. Sa prodigieuse mémoire lui permettait de ponctuer ses phrases et ses réflexions de quelques tirades en vers toujours appropriés. Sa verve me mettait en joie et j'espérais qu'il pourrait garder Paolo le plus longtemps possible.

Je me demandais comment ma « belle-mère » qui semblait avoir avalé un parapluie pouvait être la fille d'un tel homme aussi chaleureux, cultivé et ouvert aux autres. Aristide n'aimait pas son gendre Robert qu'il appelait « tiroir-caisse ». Un monde les séparait. Comment les Michalon d'origine paysanne et les Clavier d'origine citadine et commerçante auraient-ils pu s'entendre ? Mystère des alliances contre nature. Robert, qui aimait le pouvoir et l'argent, avait épousé Rose, la fille d'un notable, pour flatter sa suffisance qu'il promenait avec ostentation dans tous les cocktails huppés de Lyon. Moi-même je m'étais bien laissée berner par Michel, je n'avais rien à lui envier !

Heureusement, de ces désastres successifs émergeaient deux êtres que j'aimais infiniment : Aristide et Paolo. Tous deux étaient là pour me faire comprendre que chaque rencontre, chaque échec, n'est jamais totalement négatif. Une petite graine de bonheur peut en surgir.

Je regagnai Milan réconfortée. Peut-être que tout n'irait pas aussi mal que je le craignais.

*

Renato et Luigi m'attendaient, anxieux. Ce dernier avait appris la veille que Michel faisait des tentatives pour s'approprier la participation de la Banque du Mezzogiorno dans nos sociétés milanaises. Il faudrait que je rachète moi-même le paquet d'actions ou que je trouve des investisseurs.

— Vos liquidités actuelles sont trop faibles pour que vous vous engagiez vous-même, me dit Renato.

— Sauf si vous vendez des immeubles, ajouta Luigi.

— Il n'en est pas question, je désire redéployer mon patrimoine immobilier mais je ferai cela avec Stefano Magra, tranquillement. Renato, vous devriez prendre contact avec la banque de Lugano. Ils sont peut-être intéressés.

Je me demandai où Michel trouvait tout cet argent. Avait-il convaincu son père de l'aider à conquérir l'empire Barzini ? Mais dans quel but ? Il ne m'avait jamais aimée et mon départ lui avait été totalement indifférent ; or son comportement était celui d'un mari trompé, déçu et jaloux. Impossible ! Ce n'était sûrement pas lui qui tirait les ficelles. Derrière toutes ces manigances se profilaient Carlotta, Mardone, Coggio.

*

Réfléchir, travailler, être sans arrêt sur le pont, voilà ce qu'était ma vie. J'allais pourtant m'accorder une petite trêve : dans deux semaines je retrouverais Jack à Bellagio.

J'avais prévenu les gardiens, tout serait prêt pour nous recevoir. Mais comme je ne voulais pas de témoins, ils iraient passer quelques jours chez leur fille, ce qui les enchantait.

Cette maison de Bellagio avait illuminé mon enfance. Donatella me disait toujours que c'était un lieu romantique plein de mystère et de souvenirs. Elle me racontait que dans la villa Melzi, mitoyenne de la nôtre puisque seule une épaisse haie séparait nos jardins, Stendhal, Liszt, Goethe, Metternich, Tchaïkowski avaient souvent séjourné.

Elle se promenait dans les allées, une ombrelle rose au-dessus de la tête oscillant doucement comme une voile de bateau, et me disait, rêveuse : « Les jardins ne sont jamais innocents. L'histoire et la littérature les ont toujours présentés comme des lieux de tentations. Eden, Circé, Klingson, sont tous des endroits magiques, éphémères, illusoires où vinrent se perdre Adam et Eve, Ulysse, Parsifal... Pour moi ce jardin restera celui de mon paradis... »

Son regard à ce moment-là était toujours mélancolique et s'en allait très loin par-dessus les citronniers, les myrtes, les buis et les jasmins, elle plongeait dans ses souvenirs mais j'étais trop petite pour lui poser des questions, il ne me restait que des sensations.

Je crois qu'au fond de moi j'espérais découvrir un jour pourquoi Bellagio avait été le paradis de ma grand-mère.

*

J'avais hâte que les jours passent, l'idée de revoir

Jack m'emplissait à la fois d'angoisses et de délices. Je ne savais pas si je l'aimais, mais je désirais sa présence, sa peau, son corps, ses lèvres, ses mains, sa voix, son sourire... Etait-ce cela l'amour ?

Nous avions si peu parlé, je ne connaissais presque rien de ses pensées, de son passé. Qui était-il en dehors d'un réalisateur à succès et de l'homme qui m'avait fait connaître mes premiers émois ?

*

Il arriva à la villa par le lac, tout seul à bord d'une barque qu'il accrocha à l'embarcadère au pied du jardin.

Je le vis sauter lestement et remonter l'allée centrale, un sac de voyage suspendu à son bras, son éternel col roulé sous son blouson de daim et je devinais ses yeux scrutateurs en train de se poser sur les tapis de fleurs, les plantes exotiques, les massifs de rhododendrons, sur tout ce jardin créé par le père de Donatella, où chaque plante, chaque massif, chaque buisson avait été placé en vue d'un effet calculé. Où les bleus, les blancs, les verts, les rouges, les violets et les roses étaient savamment composés afin de créer une véritable illusion.

Jack, si sensible aux décors, ne pouvait pas rester indifférent à celui-là. Lui avoir proposé de nous retrouver dans la maison de ma grand-mère n'était pas tout à fait innocent, comme son jardin !

*

Arrivé sur la terrasse il se retourna pour contempler

le lac. C'est le moment que je choisis pour m'approcher de lui comme un chat et pour l'entourer de mes bras.

Il ne bougea pas. Nous restâmes ainsi un long moment, l'un contre l'autre, avec pour seule amie cette nature hospitalière et pour compagnon ce lac, miroir riant et mélancolique, avec ses petites plages, ses criques, ses ports miniatures et ses îles minuscules.

Enlacés nous pénétrâmes dans cette maison du XVIe siècle, contemporaine de la villa d'Este, que Donatella avait entièrement rénovée.

Le grand salon aux murs jaunes et blancs, habillé de meubles baroques et d'un magnifique piano, donnait directement sur la terrasse. Dans le vaste hall, un escalier massif grimpait vers les chambres.

D'un même pas nous montâmes les marches et c'est dans une immense pièce aux tapis multicolores, au grand lit blanc et aux tentures parme que nous assouvîmes cette soif que nous avions l'un de l'autre. Nus sous les draps soyeux, nous ne pouvions nous arracher à nos étreintes. Sa langue agile descendant le long de ma poitrine, ses mains caressant mes flancs, sa tête entre mes cuisses, me faisaient frissonner de bonheur et de désir.

Le soir tombait, les senteurs de la nuit, chèvrefeuille, eucalyptus, magnolia, venues du jardin par les fenêtres ouvertes se mêlaient à nos odeurs. La stéréo diffusait en sourdine une musique de Count Basie. Une seule petite lumière tamisée par un abat-jour japonais créait dans cette pièce aux douces teintes de pastel une ambiance de rêve.

Tenaillés par la faim, c'est en riant que nous descendîmes dans la cuisine à la recherche de mets délicats que je nous avais fait préparer.

— Bérénice tu es magique, j'ai l'impression de vivre un rêve. Tu représentes ce que j'ai cherché toute ma vie chez une femme, le charme, la culture et l'intelligence. Je ne sais pas si je vais t'appeler ma fée ou ma sorcière. Je crois que tu es un peu des deux et je t'aime.

— Je ne sais que répondre, avec toi je connais le bonheur et cela me comble. Merci de ce que tu viens de me dire, tu me touches profondément.

Pelotonné, détendu dans le confortable canapé du salon, Jack dégustait une vieille eau de vie, digne couronnement du succulent dîner que nous venions de savourer. Il tendit une main vers moi, souhaitant par ce simple geste me sentir toute proche, et il me parla de lui.

— Je suis né d'une mère actrice irlandaise et d'un père auteur dramatique juif allemand arrivé à Londres dans les années trente. Ma mère avait obtenu un rôle important dans une de ses pièces, leur coup de foudre fut immédiat.

Londres, comme Paris, baignait dans l'irréalisme le plus total lorsque je naquis le soir du retour de Chamberlain des accords de Munich. Accueilli par une foule en liesse, il revenait de son entrevue avec Hitler en lui faisant une confiance totale. Mon père qualifia cette euphorie d'absurde et déclara à ma mère que l'Europe étant fichue, il allait l'emmener avec son précieux paquet dans le nouveau monde.

C'est ainsi que nous avons débarqué à New York au moment où les bottes allemandes commençaient leur macabre épopée.

J'ai découvert la vie dans les coulisses des théâtres, imprégné des odeurs très particulières qui se dégagent de ces lieux. Malheureusement les pièces de mon père ne plaisaient pas aux Américains – trop noires, trop caustiques, disaient les uns, pas assez efficaces disaient les autres – bref, ils ne purent survivre qu'avec les cachets de ma mère qui avait heureusement trouvé rapidement du travail. Ma mère était très belle, avec des yeux bleu marine, des taches de rousseur, une chevelure de feu à vous couper le souffle et une voix rauque envoûtante. Elle m'emmenait partout et me fit même jouer son fils à l'âge de cinq ans dans une pièce qui ne passa pas à la postérité malgré ma participation exceptionnelle ! Plus tard je suis allé à l'école, puis à l'université de Columbia. A la fin de ma deuxième année d'art dramatique, mon père, aigri, nous quitta, emporté par une mauvaise bronchite et affreusement déçu de ne pas avoir été reconnu par cette Amérique dont il avait si longtemps rêvé.

Ma mère Margaret avait de moins en moins d'engagements et ne pouvait plus m'entretenir. Elle me trouva un poste d'assistant à la mise en scène au « Booth Theatre » à Broadway. Mon meilleur souvenir de cette époque est une pièce de Saroyan jouée par Bette Davis et Edward G. Robinson, un vrai régal : deux monstres sacrés qui n'arrêtaient pas de travailler, de répéter, de se remettre en question comme des débutants. Quelle école ! Ils m'ont communiqué l'amour de leur métier et l'humilité. J'ai eu la chance de rester au Booth pendant trois ans, jusqu'au jour où un producteur me proposa de mettre en scène la célèbre Lisa Cavendish dans une pièce écrite par son amant.

La pièce fit un four, l'amant désespéré se suicida et elle m'emmena à Hollywood avec elle. Imposé par ses soins sur le tournage de son film comme premier assistant, j'eus une chance inouïe : le metteur en scène fut victime d'une attaque cardiaque. Au pied levé je l'ai remplacé. Le film par miracle connut un énorme succès, j'étais lancé.

Voilà, ma chérie, tu sais tout. A toi maintenant.

Je savais tout ! C'était vite dit, j'avais l'impression d'avoir entendu un rapport de police. Pas un mot de Lisa, de ses amours avec elle, de sa propre vie, de ses émotions. Je ne savais toujours pas qui il était.

Je décidai de faire de même et de rester sur la réserve. A la fin de mon propre récit il me fit une réflexion :

– Tu vois, Bérénice, toi tu connais tes racines et tu vis avec elles, moi je serai toujours un errant...

Sa voix était nostalgique et interrogative à la fois. Je me demandai quelles questions il se posait.

Il manifesta le désir de visiter cette vieille maison et nous commençâmes par le grenier. En ouvrant par hasard une vieille malle défoncée, je découvris un paquet de lettres ternies par le temps. Ces lettres bien rangées par petits tas de deux écritures différentes, étaient signées Hans et Donatella. Je fus tentée de les remettre en place sans les lire, mais une phrase de ma grand-mère me revint à l'esprit et excita ma curiosité : « Ce jardin restera celui de mon paradis. »

J'avais peut-être l'occasion de connaître la signification de cette confidence et de découvrir le secret de son regard parfois si lointain. Je glissai les lettres dans ma poche.

*

Après notre visite de la maison, Jack s'était assoupi. Je profitai de son sommeil pour m'enfermer dans le bureau afin de prendre connaissance de ces lettres. Deux dates, 1902 – 1932 ; trente ans d'écart entre ces paquets. Je pris la série la plus ancienne et commençai à lire, les mains tremblantes, avec l'étrange sensation d'être une voleuse.

« Mon Amour,

« Lorsque tu liras cette lettre, je ne serai plus tienne mais la femme de Pietro Barzini, pourtant rien, jamais, ne me fera oublier notre passion. Mon père a refusé d'exaucer mon désir le plus cher, vivre avec toi. Nous savons tous les deux que c'était impossible, je ne pouvais pas épouser le fils de son ancienne maîtresse dont il est persuadé d'être le père. Depuis des mois il me le répète sans cesse, c'est devenu chez lui une obsession, je ne veux pas le tuer.

« Tu sais que je t'aimerai toujours. Adieu Hans.

Donatella. »

« Mon Trésor,

« Je te pardonne mais je souffre de te sentir si malheureuse. Je sais que je ne suis pas ton frère, il n'y a qu'à regarder le portrait de mon grand-père paternel dans la bibliothèque du château de Linz, je lui ressemble comme deux gouttes d'eau. Mais je comprends que ton père fasse une fixation sur son histoire avec ma mère, elle était si attirante que je ne lui en veux pas bien qu'il nous brise le cœur, ce cœur qui est à toi pour la vie.

Hans. »

« Mon Amour,

« Je ne sais pas si je survivrai à ce mariage, je n'aime pas Pietro. C'est un homme charmant, il me gâte beaucoup, j'ai de l'affection pour lui, mais c'est tout ce que je peux lui donner. Je sens qu'il est assez malheureux et qu'il se réfugie dans son travail et ses peintures.

« Pourquoi sommes-nous les victimes de mon père ?

« A toi pour la vie.

Donatella. »

« Mon Trésor,

« Courage, nous nous retrouverons un jour, j'en suis sûr. Je pense à toi sans cesse, je souffre pour toi et je me suis mis à composer des musiques où je crie ma douleur. Un jour je te les jouerai à Bellagio, et nous pleurerons ensemble sur notre amour brisé.

Ton Hans. »

Suivaient d'autres lettres semblables, une dizaine en tout. Je les parcourus à la hâte, désireuse de lire celles de 1932.

« Mon Trésor,

« Lorsque je t'ai aperçue hier dans les rues de Bellagio, je n'en croyais pas mes yeux. Trente années nous séparaient et j'avais l'impression de t'avoir quittée hier.

« Je serai chez toi ce soir. Mon amour pour toi est toujours aussi vivace. Te revoir a été la plus grande joie de ma vie. J'ai l'impression que seul un éclair nous a séparés.

« Je te jouerai ma dernière symphonie, celle qui vient de remporter un grand prix. C'est toi qui me l'as inspirée. Comme toutes les autres d'ailleurs depuis que nous avons renoncé l'un à l'autre. Tu as été et resteras ma seule muse. Je t'aime toujours.

Hans. »

« Mon Amour,

« Je viens de vivre grâce à toi la plus belle nuit de mon existence. Je ne savais pas que le temps pouvait être aussi fugitif et qu'une seule nuit remplaçait quelquefois toute une vie.

« J'ai suivi ta carrière avec passion, sachant qu'à travers ta musique à chaque instant tu me criais tes désirs. Avoir revu tes mains, tes yeux, ton sourire, avoir de nouveau vibré dans tes bras en retrouvant la chaleur de ta peau et la tendresse de ta voix. Tout cela m'a pénétré l'âme et le corps en exaltant en moi ce que j'ai de meilleur.

« Je t'attendrai ce soir près du magnolia et tu me berceras encore une fois de tes sons adorés.

Donatella. »

*

Les larmes coulaient sur mon visage, j'étais émue de l'amour éternel de cette presque enfant puis de cette femme mûre qui avait vécu toute sa vie un rêve inachevé. Douceur et douleur de l'amour, je comprenais maintenant les phrases sentencieuses dont elle m'abreuvait, telles que : « Pas d'amour, pas de souffrances », « l'hérédité est un bagage que tu portes toute ta vie en bandoulière. »...

Chère et tendre grand-mère, toi qui étais toujours si gaie, comment as-tu fait pour garder ce lourd secret sans jamais le laisser paraître ? Tu étais la plus belle des histoires romantiques, ton âme m'avait échappé, comme elle avait échappé aux autres.

Rassure-toi, Donatella, ces lettres je vais les brûler, personne n'en saura jamais rien. Seule ma mémoire les conservera intactes.

*

Je retournai dans la chambre et m'approchai de Jack qui dormait comme un bienheureux. Tout en lui caressant délicatement les tempes, je me demandais avec une pointe de tristesse si nous pourrions avoir un avenir ensemble ou si notre histoire demeurerait éphémère.

*

Chaque journée passée ensemble était un vrai cadeau. Nous nous promenions en bateau, nous arrêtant dans les petits ports pour visiter les villages silencieux aux guirlandes de toits roses, parcourant à pied ruelles et escaliers abrupts, admirant les maisons en pierre où le soleil se faufilait à travers les grilles d'étroites fenêtres d'où jaillissaient des brassées de géraniums.

Jack était frappé par le contraste entre ces villages d'apparence humble et l'exubérance baroque des résidences patriciennes. Le passé le fascinait, il voulait tout savoir, tout comprendre. Son esprit curieux très proche du mien me séduisait de plus en plus.

Il me parla de son métier. Pour lui, seul le public avait le pouvoir de créer les stars et de décider du succès, c'est cette incertitude qui permet la création. Il aimait travailler avec les actrices et les observait comme un médecin psychiatre.

— Vois-tu, les femmes peuvent dire oui et non en même temps. Elles mentent et dissimulent infiniment mieux que les hommes car la société les a obligées à le faire depuis des lustres. Elles ont développé leurs défenses pour mieux affronter notre monde organisé par et pour les hommes. Elles ont acquis d'instinct la rouerie, la duplicité, la manipulation, et peuvent être beaucoup plus cruelles que nous.

C'est à la faveur de cette réflexion qu'il me dit quelques mots sur Lisa Cavendish.

— Je l'ai aimée profondément et elle m'a roulé. Tu es si différente, Bérénice, des femmes que je côtoie ! Si ce n'était ton corps, je ne pourrais croire que tu fais partie de ce sexe.

Je ne savais si je devais prendre cette remarque comme un compliment.

Nous avancions à tâtons dans l'aventure de notre connaissance mutuelle. A deux ou trois reprises, alors que je lui parlais de mon père, il me dit simplement qu'il aurait aimé discuter avec lui.

*

Le dernier soir avant notre séparation, nous nous étions allongés côte à côte sur la terrasse, dans de vieilles chaises longues. La nuit était belle, les lumières du lac scintillaient sous un ciel pur où brillaient les étoiles ; à l'horizon nous distinguions d'étranges lueurs améthyste aux reflets rouges et jaune d'or. La splendeur de ce spectacle me serra le cœur. Combien de fois avais-je entendu Donatella s'extasier devant la clarté du ciel, la forme des nuages et les couleurs changeantes du crépuscule...

Main dans la main nous respirions ces senteurs si particulières qui montaient du jardin. Nos corps apaisés après le feu qui les avait embrasés durant trois jours jouissaient de ce moment privilégié, silencieux.

Tout d'un coup j'entendis sa voix légèrement voilée me dire comme à regret :

— Tu penses passer toute ta vie à Milan, à diriger tes affaires ?

— Oui, pourquoi ? C'est ce que j'ai choisi à la mort de Federico, mon destin ne me semblait pas ailleurs.

Il n'insista pas mais ajouta en se raclant la gorge :

— Tu devrais venir passer quelque temps à Los Angeles lorsque tu le pourras. A mon tour je te ferai vivre dans des endroits magiques.

Son sourire était plein de promesses.

— J'en serai vraiment heureuse, et je te promets d'essayer, mais j'ai tellement de problèmes... J'espère que ce sera réalisable.

Il ne sembla pas très satisfait de ma réponse.

Le lendemain matin, lorsque je le vis partir comme il était arrivé, descendant la grande allée en direction de l'embarcadère, cassant au passage une branche de buis avec laquelle il me fit un signe d'adieu tout en grimpant dans la barque, mon cœur se serra très fort : je commençais à aimer cet homme et je me surpris à espérer qu'il ne serait pas seulement un beau souvenir.

*

Reprendre le collier fut difficile. Jack m'avait expliqué que pendant chaque tournage il entrait « en religion », afin de se consacrer totalement et uniquement à sa création. Je n'avais donc aucun espoir de le revoir avant des mois. « Je t'appellerai dès que j'aurai terminé », avaient été ses dernières paroles.

L'empire Barzini était à nouveau mon seul horizon et je devais écarter la tentation qui m'avait un instant effleurée, celle d'aller le retrouver le plus vite possible. De toute façon, il ne l'aurait pas souhaité.

Les difficultés ne manquèrent pas. Je réussis pourtant, grâce à Stefano Magra, peu de temps après son arrivée, à mettre sur pied un nouveau plan immobilier, beaucoup plus satisfaisant. Je décidai de me séparer de plusieurs propriétés dont l'entretien était exorbitant et auxquelles aucun lien affectif ne me rattachait. Venise, Portofino, Lugano, Paris, furent mises en vente ainsi que différents immeubles. Cette restructuration me permettrait de vivre éventuellement de mes rentes.

J'avais gardé l'hôtel particulier de Londres en souvenir de Pietro qui l'adorait.

Dans les éditions, nous avions l'espoir de décrocher deux grands prix, le *Campiello* et le *Viareggio*. J'avais convaincu Enrico Goldi de modifier l'organisation de son département pour avoir une meilleure efficacité. En revanche, les difficultés avec Michel Clavier étaient loin de se calmer et je commençais à avoir des doutes sur la fiabilité de Luigi Bucco que je sentais de plus en plus fuyant. Je souhaitais qu'il étudie les dossiers juridiques des immeubles à acquérir sélectionnés par Stefano Magra, impossible d'obtenir de réponse.

– Ne vous pressez pas, Bérénice, je suis trop occupé en ce moment, il me faut davantage de temps, il s'agit de gros investissements, vous ne pouvez pas vous engager aussi rapidement.

– D'accord, Luigi, mais je veux des réponses au plus tard dans un mois.

Six semaines s'étaient écoulées et je n'avais toujours rien.

Heureusement, Aristide avait pu garder Paolo, les grandes vacances allaient commencer et il avait fait comprendre à sa fille que la campagne était indispensable à la santé de son petit-fils. Je pouvais ainsi avoir fréquemment de ses nouvelles. Entendre sa voix me faisait beaucoup de bien.

L'été touchait à sa fin, j'avais fait un saut aux *Bréguières* mais j'avais dû repartir très vite pour aller signer les différentes ventes auxquelles j'avais procédé. En septembre les fonds seraient dans les banques, mais Luigi me faisait toujours lanterner. Nous eûmes une entrevue orageuse. Suite à cette altercation, je regardai la fiche le concernant dans le précieux coffret. Ce que je lus me laissa extrêmement perplexe :

LUIGI BUCCO : Excellent juriste. Nous a sortis de

nombreux mauvais pas. Très ambitieux. S'est toujours montré fidèle. Sa vie de famille compliquée et ses gros besoins d'argent dictent une certaine réserve.

Dans la foulée je regardai celle consacrée à Renato. Les propos de Federico à son sujet étaient élogieux. Manifestement sa confiance en lui était totale. Je décidai de lui faire part de mes difficultés avec Luigi. Il se montra attentif, compréhensif et me promit de le surveiller.

*

Nous avions obtenu le *Campiello*, ce prix si convoité, pour un livre intitulé *A Noi due Milano*, l'histoirc d'un promoteur immobilier vicieux et malhonnête. Le roman fleurait d'ailleurs le pamphlet dénonçant les pratiques éhontées utilisées par les hommes du bâtiment pour faire fortune. Un succès populaire était assuré et je me réjouis de cette victoire.

Je n'avais aucune nouvelle de Jack. En lisant un magazine j'appris que certaines actrices se crêpaient le chignon et que le tournage serait plus long que prévu. L'amour et le désir me taraudaient mais je n'avais rien à lui reprocher, après tout il faisait comme moi, son travail était sa première préoccupation. Nous avions vraiment beaucoup de points communs.

Un soir où la solitude me pesait, j'acceptai de sortir et d'assister à une soirée organisée par Luigi afin de fêter les vingt et un ans de sa fille.

Je n'aimais pas beaucoup ce genre de réception, mais comme je venais de vivre une passe difficile dans nos rapports professionnels, j'acceptais, lui manifestant ainsi mon désir de faire la paix. La veille il m'avait remis un dossier conséquent sur les fameux immeubles.

Je comptais me rendre chez lui avec ma propre voiture et j'avais donné quartier libre à mon chauffeur. Sans grand enthousiasme je quittai la maison vers vingt heures, bien décidée à ne pas m'attarder. Luigi habitait dans la banlieue milanaise. Pour accéder à sa villa il fallait quitter la nationale et s'engager sur une petite route très secondaire. Je venais à peine de tourner lorsqu'une camionnette roulant à vive allure me dépassa, braqua violemment sur sa droite et me coupa le chemin. Je freinai brutalement et m'apprêtai à insulter ces cinglés quand je vis surgir de l'arrière du véhicule deux hommes masqués qui se précipitèrent de chaque côté de mes portières. L'angoisse et la peur envahirent mes entrailles, je n'avais plus une goutte de salive dans la bouche, j'étais tétanisée, sans réaction. Extraite avec violence de mon siège, j'aperçus une main tenant un énorme coton dégageant une odeur désagréable s'approcher de mes yeux affolés, le plaquer sur mon nez et je perdis connaissance.

*

Jamais je ne saurai évaluer le nombre d'heures qui s'étaient écoulées entre mon rapt et le moment où je m'éveillai vraiment après un semi coma, sur un lit étroit, dans une petite chambre à la fenêtre barricadée et à la porte close.

Je connaissais le scénario pour l'avoir maintes fois

regardé dans des films, mais je m'apercevais qu'il y avait un monde de sensations indescriptibles entre la réalité et la fiction. Je n'étais pas au cinéma, ma propre vie était en jeu, la peur s'était installée dans mon corps, dans mon cœur et dans ma tête.

Pourquoi et qui ? Ces deux mots martelaient mon cerveau.

Ma première conclusion fut de me dire : c'est la mafia, et ils vont demander une rançon. Etant donné que je suis la seule à avoir la signature, il faudra qu'ils s'adressent à moi, mais jamais ils ne voudront accepter un chèque, ils réclameront de l'argent liquide. Qui prendra la responsabilité de le leur donner ? Et quel sera le montant ? Une somme que peut-être l'empire Barzini sera incapable de trouver rapidement.

Le temps passait, personne ne se manifestait.

Heureusement j'avais ma montre, mais je ne savais pas quel jour nous étions.

Mon bras me picotait, je le regardai attentivement et j'aperçus la trace d'une piqûre. Les salauds ! Ils m'avaient droguée. Depuis combien de temps étais-je étendue sur ce lit ? L'horreur, la rage, la colère, m'envahirent. Il fallait que je me révolte si je voulais survivre. Faire marcher mes méninges était ma seule planche de salut.

Quatre heures après mon réveil, la porte s'ouvrit. Un homme aux yeux masqués, trapu et noiraud, entra dans la pièce. Il avait des épaules de gorille, et un sourire sans joie détendait son visage rond, coloré et piqué de taches de rousseur. Il était vêtu d'un blouson noir, d'un pantalon noir et de chaussures blanches à semelles de crêpe. Il portait un plateau recouvert d'une serviette et se mouvait aussi légèrement et silencieusement qu'une plume agitée par le vent. Il posa le plateau et disparut sans un regard et sans un mot.

Je n'avais vraiment pas faim, plutôt mal au cœur, mais la soif continuait à m'incommoder et je me précipitai sur la carafe. Après avoir bu trois grands verres, je m'aperçus que dans cette chambre, dissimulé derrière une porte de placard, se trouvait un cabinet de toilette sans fenêtre avec un w.c. Cette découverte me parut miraculeuse, l'idée de me soulager dans un seau et de ne pas pouvoir me laver me répugnait. Mes ravisseurs avaient une certaine classe, ce n'était pas sordide et, de plus, j'aperçus une pile de livres dans le renfoncement d'un mur.

Combien de temps allait durer mon attente ? L'angoisse commençait à me ronger.

Cela faisait au moins trois jours que j'étais enfermée ; ponctuellement mes repas étaient apportés, toujours par le même personnage qui ne me parlait pas, ne m'écoutait pas, et repartait aussitôt le plateau déposé en prenant bien soin de tourner la clé dans la serrure.

La patience est une vertu capitale, mais je n'étais pas du tout sûre d'en avoir hérité parce que mon énervement grandissait à vue d'heures. Pour me calmer, je dirigeais mes pensées vers Federico, que ferait-il à ma place ?

De toute façon, actuellement j'étais impuissante, j'ignorais le but de cet enlèvement, il fallait seulement que je m'occupe l'esprit. Peut-être pourrais-je lire...

J'abandonnai cette idée rapidement, je n'arrivais pas à me fixer.

Subitement la vision de Jack s'imposa à moi, tout le bonheur que j'avais ressenti avec lui au cours de nos rencontres me submergea comme une vague de fond. Son corps, sa peau, ses mains sur moi, sa manière bien particulière de prononcer mon prénom, sa joue et son léger picotement sur la mienne, ses lèvres sur mon cou, ses bras qui me serraient si fort lorsqu'il m'inondait de son amour ; toute cette musique de l'âme et de la chair, tout ce qui était la vie et que je ne connaîtrais peut-être plus jamais. Cette ultime pensée m'anéantit et je m'écrasai en sanglotant sur le lit.

Je me sentais diminuée par la panique, réduite à l'impuissance, je voyais tout à travers un brouillard cotonneux.

Les jours passaient. Par moment j'avais peine à respirer, je devenais claustrophobe. Je me sentais mieux lorsque j'étais en colère et que je pensais à ma vengeance, cela me donnait des forces pour résister.

*

Le matin du sixième jour, je trouvai une lettre tapée à la machine sur le plateau. Je l'ouvris en tremblant, enfin j'allais savoir à quoi m'en tenir.

« Madame Barzini,

« Nous exigeons douze millions de dollars en échange de votre libération. Il nous les faut en petites coupures, nous sommes prêts à transmettre vos ordres. Ecrivez-nous votre décision. »

Un bloc et un crayon accompagnaient cette missive.

Douze millions de dollars... l'exact montant que m'avaient rapporté les ventes que j'avais réalisées secrètement. Qui pouvait savoir que j'avais cette somme disponible ? Cette affaire puait le complot. Ma détention n'était pas du genre de celles pratiquées par la mafia en général. Le relatif confort dont je disposais, le temps très long qui s'était écoulé avant qu'on ne réclame la rançon, le moment choisi pour procéder à mon enlèvement, le fait que personne, à part Luigi et Renato, ne savait que je devais aller à cette réception... Trop de faits étranges qui, additionnés, commençaient à m'ouvrir des horizons. Enfin mon esprit ne pédalait plus dans le vide. Je voulais en savoir davantage. Ma réponse fut simple :

« Messieurs mes ravisseurs,

« Je n'ai malheureusement pas cette somme, vous serez condamnés à me garder. »

Leur réplique à peine quelques heures plus tard me confirma dans mes soupçons.

« Madame Barzini,

« D'importants mouvements de fonds ont eu lieu sur vos comptes et nous savons que vous pouvez payer. Si vous refusez toujours, nous emploierons les grands moyens. »

La réponse était claire : quelqu'un de mon entourage avait monté cette opération. La vision de Mardone dans mon bureau menaçant mon fils s'imposa à mon esprit, ainsi qu'une phrase prononcée quelques mois plus tôt par Luigi Bucco, concernant les relations étroites entre ma tante Carlotta, Michel Clavier et le Credito Popolare, la banque présidée par Mardone. Je pensais aussi à Vito Coggio, cette ordure faisait sûrement partie de ce mauvais coup. Je devais réfléchir ; si j'étais capable de reconstituer le scénario, je trouverais probablement le moyen de m'en sortir.

Ma peur et mon désespoir s'estompaient légèrement. Désormais je pensais connaître mes ennemis, me battre contre eux me semblait davantage à ma portée. Dans une guerre, on use de tous les moyens pour emporter la victoire... Je me promettais si je sortais vivante de ce trou de tout mettre en œuvre, sans hésiter, contre cet adversaire dénué de scrupules. Jamais je n'accepterais de perdre. Ma soif de vengeance prit le relais de mon désespoir et, pour la première fois depuis sept jours, je m'endormis d'un sommeil profond.

Dès le matin, reposée, je mis en marche mon petit ordinateur personnel, réfléchissant aux ruses qui me permettraient de sortir de ce guêpier.

Mardone, Coggio, Michel et Carlotta veulent se venger de moi pour diverses raisons. Luigi Bucco leur a servi d'informateur et sera rémunéré en conséquence. Les hommes de main ont sûrement été fournis par Coggio étant donné ses accointances avec le « milieu ». Mardone est très certainement au courant, il faut donc que j'envoie un message assez astucieux pour leur flanquer la trouille en leur faisant comprendre qu'ils sont découverts.

Je m'attelai à cette tâche durant plusieurs heures, je n'étais jamais satisfaite de la rédaction. Ma vie était en jeu et il ne fallait surtout pas que je me trompe. Je pensais avoir reconstitué le puzzle, mais ce n'était qu'une hypothèse, pas une certitude. Le poker n'avait jamais été mon jeu de cartes favori, j'étais pourtant en train d'y jouer avec mon existence. Finalement je me décidai pour le texte suivant :

« Messieurs,

« Renato Carvi est au courant de tout. N'oubliez pas qu'il était le double de mon père. Suite à nos rendez-vous et aux menaces dont j'ai fait l'objet, les pièces à conviction ont été déposées sous plis cachetés chez un notaire qui, sans nouvelles de moi ou de mon fils au bout de dix jours, convoquera la presse et la police. Je n'exercerai aucune représaille si je retrouve ma liberté immédiatement. »

Je bluffais et j'espérais que Dieu et Federico étaient à mes côtés, que mon raisonnement était judicieux et que je serais rapidement libre. Si c'étaient eux, ils avaient trente-six heures pour réfléchir et le compte à rebours était commencé.

A partir de la minute où mon serviteur masqué, sourd et muet en tout cas en ma présence, emporta mon message posé sur le plateau, chaque seconde s'écoula à la vitesse de la tortue. Incapable de dormir, incapable de lire, je marchais de long en large, anxieuse, angoissée, tournant et retournant dans ma tête la situation sous tous ses angles. Pourvu que j'aie vu juste !

Finalement, épuisée, je m'allongeai sur le lit les yeux ouverts, attendant le verdict.

*

Le lendemain vers dix-huit heures, mon geôlier masqué entra dans la chambre, un bandeau à la main, manifestant par des signes sa volonté de me l'attacher sur les yeux. Coopérative, je lui facilitai les choses.

Enfin, j'allais connaître la réponse à mes questions. Mon cœur battait très fort, ma salive était à nouveau en cavale, une autre peur m'étreignait, différente de celle que j'avais connue au moment du rapt. C'était une peur insidieuse, rampante, qui me pénétrait comme un goutte à goutte de l'intérieur.

Il me fit descendre un escalier en me tenant le bras. Je l'entendis ouvrir une porte et je sentis l'air frais balayer mon visage. Cet air vif dont j'avais presque oublié l'existence m'étourdit un peu.

Me tenant toujours par le bras, il me guida à l'extérieur vers ce que je supposais être une voiture, m'installa à l'intérieur, m'attacha les mains derrière le dos puis claqua la portière. Le véhicule démarra aussitôt, un autre homme était sûrement au volant.

Une lente balade obscure et muette commença. Au bout d'un certain temps je reconnus les bruits de la ville, les klaxons, les murmures, les coups de freins. Au début j'avais l'impression de suivre un enterrement, le mien peut-être, maintenant toute cette agitation que je sentais autour de moi m'agressait. Finalement la voiture s'arrêta, l'homme me fit descendre, marcha quelques minutes à mes côtés en guidant mes pas, puis m'assit sur un siège tout en détachant légèrement mes liens. Je ne bougeais pas, attentive à tous ses mouvements ; quelques instants après, ne sentant plus sa présence, je libérai fébrilement mes mains et arrachai mon bandeau.

La nuit était tombée, je me trouvais assise sur la chaise d'un square en face d'une fontaine que je connaissais bien : j'étais à cinq minutes de chez moi. LIBRE ! J'étais libre ! Une sorte d'ivresse m'envahit, je me mis à danser, à sauter, à tourner sur moi-même, puis en courant je pris la direction de la maison.

*

Lucia m'ouvrit la porte en larmes, elle me croyait morte. Entre deux hoquets je compris que je devais appeler immédiatement Renato Carvi. Une demi-heure plus tard il était auprès de moi, me serrant dans ses bras à me couper le souffle, n'arrêtant pas de me dire : « Mon petit, mon pauvre petit », comme si j'avais été sa propre fille. Cette douleur et cette joie sincères me firent chaud au cœur. Ensemble nous arriverions sûrement à connaître le fin mot de cette sordide aventure.

En l'attendant, j'avais pris un bain et je m'étais changée. Dix jours dans les mêmes vêtements sans pouvoir me déshabiller m'avaient paru bien pénibles et c'est avec délectation que j'enfilai une douillette robe d'intérieur. Installée avec Renato dans le canapé en buvant un bon verre de vin de noix, il me raconta comment lui et les autres avaient vécu mon enlèvement.

Je fus horrifiée par ce que je découvris. Le lendemain de ma disparition, Michel Clavier et Carlotta s'étaient installés au siège des éditions Barzini, bien décidés à diriger le groupe. Carlotta fit courir le bruit que je m'étais enfuie avec un amant, Michel déclara que son devoir était de protéger les intérêts de son fils et qu'en mon absence volontaire ou involontaire, il se devait de prendre ma place avec l'aide de Carlotta évidemment.

Renato et les autres directeurs les avaient vus arriver avec terreur. En trois jours ils s'étaient mis tout le monde à dos, sauf Luigi Bucco, qu'ils avaient bombardé directeur général. Ils comptaient sur lui pour résoudre au plus vite le problème de la signature. En quelques jours ils avaient fait du chemin et des dégâts.

Je racontai à Renato ce qui s'était passé et comment j'en étais arrivée à les soupçonner. Il me regarda admiratif, m'expliquant à son tour ce qu'il comptait faire pour confesser Luigi et le contraindre à passer aux aveux.

« Bérénice, la situation est grave, je vais engager des gardes du corps, désormais vous serez protégée nuit et jour. Tout le monde jase beaucoup à Milan, il faut organiser dès demain une conférence de presse où vous déclarerez que vous avez été enlevée mais que, grâce à la compétence de la police, vous avez été libérée sans payer de rançon. Je vais m'arranger avec le patron de la sécurité nationale, c'est un ami et je l'avais alerté dès votre disparition.

Je suppose que vous ne voulez pas envoyer votre mari en prison à cause de votre fils. Il est donc préférable de trouver un arrangement à l'amiable. Evitons le scandale, le groupe risquerait de chanceler. Si vous êtes d'accord, je vais signifier dès ce soir à votre tante et à votre mari l'inutilité désormais de leur présence au siège des éditions Barzini.

— Merci Renato, merci pour votre présence à mes

côtés. Je voudrais très vite régler le cas Luigi. Convoquez-le pour demain onze heures dans mon bureau. Je souhaite votre présence. Vous avez mon accord pour la conférence de presse. Organisez-la vers dix-huit heures.

— A propos, Bérénice, monsieur Jack Leber a téléphoné plusieurs fois de Rome. Je ne sais pas comment il a été mis au courant de votre disparition, j'avais pu éviter que la presse s'en mêle, aidé en cela je dois l'avouer par les propos colportés par votre tante. Il souhaite avoir de vos nouvelles, voici le numéro où vous pourrez le joindre. A demain ma chère, je suis vraiment heureux que vous soyez là saine et sauve. »

Il m'embrassa affectueusement et me laissa à mes pensées.

Je tenais à la main le papier que Renato venait de me donner et je contemplais ces chiffres qui me reliaient à l'homme que j'aimais. Il était inquiet, il était sorti de son « couvent » pour m'appeler, pour savoir ce qui m'arrivait, il tenait donc à moi un tout petit peu plus qu'à son travail.

La joie au cœur, j'installai le téléphone sur mes genoux et j'attendis anxieuse la réponse à la sonnerie. Lorsque je perçus cette voix si chaude, si vibrante que par moment dans mon désarroi j'avais pensé ne plus jamais entendre, toutes mes souffrances pendant ces dix jours me remontèrent à la gorge, je n'arrivais pas à prononcer un seul mot. Il fallait pourtant que je dise quelque chose ou il allait raccrocher. C'est en tremblant que je balbutiai : « Tout va bien Jack, je t'aime. »

J'étais incapable de continuer. Je crois qu'il avait tout compris parce qu'il ajouta seulement : « Moi aussi » en coupant la ligne.

Nous nous étions tout dit.

Je n'eus même pas la force de me traîner jusqu'à mon lit, je m'endormis épuisée sur le canapé. Demain la bataille allait recommencer, mais ce soir je savais que l'amour existait.

*

J'arrivai au siège comme d'habitude, seulement un peu plus crispée que je ne l'étais en général.

Installée à mon bureau je jetais un œil sur le courrier amoncelé et j'attendais l'arrivée de Luigi et Renato. A onze heures précises ils étaient là tous les deux.

J'attaquai Luigi immédiatement :

– Je sais tout. Une seule précision m'intéresse, le nom de la personne qui vous a proposé cette ignominie.

Il me regarda, fuyant, paniqué, il sentit aussi que j'irais jusqu'au bout ct devant ma volonté farouche qui le dominait, il lâcha deux mots :

– Michel Clavier.

Je m'adressai alors à Renato :

– Vous pouvez faire le compte de Luigi Bucco. Je désire qu'il nous quitte immédiatement. Je lui conseille de ne jamais se retrouver sur mon chemin.

*

La conférence de presse eut lieu comme prévu. Plusieurs dizaines de journalistes s'étaient déplacés, ils venaient à la curée comme toujours.

Lorsque j'apparus sur le podium installé dans le grand salon et que je pris le micro, le bruit de la salle s'apaisa. Je prononçai les quelques mots que nous avions mis au point avec Renato, cela ne parut pas les satisfaire et des questions fusèrent de tous les côtés. Je me sentis harcelée, acculée, cernée comme la biche à la fin de la battue, juste avant sa mise à mort. C'est à ce moment-là que je vis au fond de la pièce deux paires d'yeux qui me donnèrent la nausée. Michel et Carlotta avaient eu le culot de venir me défier.

A cet instant je me jurai que, devrais-je y passer ma vie, je leur ferais toucher terre, jamais je ne baisserais pavillon devant ces êtres ignobles, je les écraserais comme des vipères malfaisantes.

Je signais mon destin pour la seconde fois.

CHAPITRE III

Deux années s'étaient écoulées depuis les fameux événements.

A plat ventre sur le pont du *VESUVIO*, je contemplais l'horizon. Paolo s'approcha de moi pour m'embrasser, il avait maintenant près de huit ans et ne me quittait plus. Le voir grandir me ravissait, il ressemblait heureusement de moins en moins à son père.

– Où est Jack, mamma mia ?

– Je ne sais pas, il doit être en train de discuter avec Joseph de son prochain film.

– Tu crois que je peux aller le déranger, j'ai tellement envie qu'il vienne se baigner avec moi.

– Tu peux toujours essayer.

Il disparut en vitesse à l'intérieur du bateau.

*

L'Amore delle cinque donne avait été un succès fabuleux. Joseph Krantz pour nous remercier avait décidé de nous offrir une croisière. Il avait loué un énorme bateau digne de celui d'Onassis et nous voguions autour de la Sicile.

Naguère, à Eden Roc près de Cannes, je devais avoir douze ans, ce yacht avait attiré mon attention. Il portait un autre nom, affrété à ce moment-là par un magnat anglais ; il était fréquenté par Sophia Loren, Carlo Ponti, le roi Hussein, Darryl F. Zanuck, Gina Lollobrigida, des marchands d'art, des stars et des starlettes.

J'avais vu des reporters de presse populaire risquer leur vie pour prendre des photos, suspendus aux falaises par des cordes et armés de leurs téléobjectifs, nageant autour du bateau en brandissant leurs appareils au-dessus de leur tête, tournoyant en hors-bord de location où crépitaient les Nikon et les Leica. Olga Blake y avait été photographiée nue se dorant au soleil, la comtesse Tubiana avait révélé au monde qu'elle ne portait pas de culotte lorsqu'on l'avait photographiée d'en bas, gravissant la passerelle sous une forte bise.

Tant de réceptions, tant de filles, tant de scandales qui gisaient à présent dans les dossiers d'archives de photographes indépendants et de magazines...

Aujourd'hui nous étions à bord, Joseph, Ida Mark, Giovanni Testi, Jack, Paolo et moi-même, bien loin de la jet-set, de son remue-ménage et dans des eaux plus tranquilles.

Le film avait été vendu dans le monde entier et avait rapporté le pactole. Joseph espérait bien que Giovanni écrirait une nouvelle histoire aussi lucrative et que Jack la mettrait en scène.

Pour le moment, Giovanni ne semblait pas pressé. Il avait lui aussi gagné beaucoup d'argent, les tirages de son livre ayant atteint des sommets, et il s'était acheté un château un peu fou où il vivait seul avec un chat. Il avait accepté cette croisière à regret, mais il ne pouvait pas décemment faire autrement.

Jack était revenu souvent en Italie et nous avions passé de nombreux séjours ensemble, surtout à *Bel Soggiorno* qu'il avait découvert peu de temps après mon enlèvement et où nous nous sentions heureux. C'est d'ailleurs là qu'un beau matin était arrivé dans une voiture noire conduite par un chauffeur en casquette « Monsieur le député », qui me ramenait mon fils.

Ce fut un retour grandiose, à l'image d'Aristide. Paolo sortit le premier de la voiture, puis se retourna vers son arrière-grand-père pour lui donner la main et l'aider à descendre. Cette délicatesse me fit chaud au cœur, ces deux-là étaient vraiment de la bonne graine.

Par bonheur Jack était arrivé la veille et je vécus une véritable réunion de famille. Après toutes mes luttes, tous mes chagrins, cela me faisait du bien de voir autour de moi ces trois hommes qui m'étaient chers.

Entre Paolo et Jack il y avait eu le déclic et chaque fois que l'homme repartait, l'enfant attendait avec impatience son retour. Je n'avais pas pu aller faire de séjour en Californie, le devenir du groupe nécessitant ma présence permanente. Jack en était très agacé, nous étions pourtant de plus en plus attachés l'un à l'autre et notre intimité grandissait au fil des mois.

L'idée de cette croisière nous avait enchantés et

nous l'avions tenue secrète afin d'alléger notre surveillance.

Par délicatesse Joseph avait choisi la Sicile pour que je ne sois pas trop éloignée de Milan au cas où surgirait un problème nécessitant ma présence. Toutefois j'espérais bien passer quelques jours en paix.

Ida et Joseph étaient de véritables personnages de roman. Leur vitalité et leurs outrances étaient revigorantes. Lui, était grand et fort, avec des sourcils broussailleux, des yeux noirs perçants, un visage de boxeur et un menton très volontaire ; ses mains étaient grassouillettes et son sourire chaleureux. Habitué à avoir le meilleur de tout, il nourrissait l'illusion que son confort et ses plaisirs étaient nécessaires à la marche de ses affaires. Un homme qui pensait en milliards ne pouvait pas se préoccuper de détails. Les gerbes de fleurs, les limousines, les voyages, les bateaux, même son domaine de Beverly, constituaient des dépenses déductibles et à ses yeux n'étaient pas des luxes. Il pouvait acheter tout ce qu'il voulait, mais il n'avait besoin de rien acheter puisque tout était payé par ses compagnies et habilement déguisé en frais généraux par une armée de comptables.

Jack m'avait raconté cela avec une certaine admiration dans la voix.

Elle, était petite, menue, avec une chevelure d'ébène coupée à la garçonne, des yeux de jais bougeant sans arrêt, très volubile, elle avait toujours quelque chose à raconter.

Tous les deux nés de juifs émigrés avaient réussi professionnellement avec panache. Réussite plus facile pour Joseph qui avait eu la chance d'hériter de salles de cinéma achetées par son père ; plus ardue pour Ida dont la famille était pauvre comme Job.

Leur conquête les avait rapprochés.

Lorsque nous étions seules, Ida m'initiait aux potins d'Hollywood. Ses clients étaient parfois étranges. Dernièrement, l'un des célèbres acteurs dont elle était l'agent (finaude elle ne me dévoila pas son nom) ne voulait pas signer son contrat si la production ne lui assurait pas dans sa roulotte (il s'agissait d'un film tourné en extérieurs) les services de deux jeunes personnes chargées d'assouvir ses pulsions sexuelles, indispensables paraît-il, à la qualité de son jeu.

Elle me parla de ceux qui ne peuvent pas jouer sans leur dose de cocaïne, ceux dont on cache le suicide ou les overdoses, ceux dont on nie l'homosexualité et que l'on marie pour la façade, ceux qui se soûlent et auxquels l'on assigne des gardes du corps pour qu'ils arrivent à jeun sur le plateau, etc.

— Jack, lui, est un puritain. Il ne veut travailler qu'avec de vrais professionnels et ne croit pas au talent dans la déchéance. Aucun acteur alcoolique ou drogué ne peut jouer dans ses films. Faire un casting avec lui n'est pas de tout repos.

Quant à Joseph il avait fait la folie d'épouser, la quarantaine bien dépassée, une véritable peste, Jennifer, fille d'une vieille famille anglaise très connue, de vingt ans sa cadette. Hautaine, dominatrice, elle avait tout lu, tout vu, tout goûté, tout connu, et prétendait que Joseph lui devait sa réussite.

— Tu t'imagines, quand elle l'a épousé, il était milliardaire depuis longtemps. Après dix années d'enfer il a réussi à divorcer, cela lui a coûté cher, mais je crois qu'il aurait fini par l'assassiner. Tu sais, Joseph aime son métier, il ne se contente pas d'investir de l'argent, il participe activement à l'élaboration du sujet, c'est sa raison d'exister, son vrai bonheur.

Toujours avide d'apprendre, Ida avait acheté une multitude de guides sur la Sicile et nous abreuvait d'informations. Elle voulait s'arrêter partout, ce qui énervait Joseph dont l'unique intérêt en dehors de son cigare était le prochain film qu'il allait produire.

J'appris ainsi que la Sicile avait été occupée par les Phocéens, les Grecs, les Romains, les Souabes, les Angevins, les Aragonais, les Normands et les Arabes. Ce melting pot avait donné naissance à une race très spéciale et je ne m'étonnais plus, étant donné leur lourde hérédité, de leur grain de folie. Comment accepter de vivre pauvrement au milieu des vestiges d'un passé puissant et grandiose ? Les vols, les rapts, la drogue, les trafics en tous genres avaient remplacé le commerce et le rayonnement culturel de cette île qui pendant des siècles avait été le carrefour de la Méditerranée et le centre du monde antique. Ainsi ils se donnaient encore l'illusion d'exister et même de diriger le nouveau monde par « parrains » interposés.

Ida m'emmenait dans son sillage visiter les églises, les couvents et les forteresses baroques, je la suivais pour ne pas lui faire de peine mais j'étais plus sensible au « Moscato di Siracusa », vin blanc sec de muscat, qu'aux catacombes.

Jack, lui, nous accompagnait pendant un moment

puis partait humer l'air des ruelles, les mains derrière le dos. Il avait le don de nous résumer en quelques phrases le présent, le passé et le futur de ce qu'il observait. Son œil était imbattable.

Giovanni quant à lui refusait de quitter le bateau et jouait aux dominos avec Paolo.

Joseph avait écrit une phrase traduite par Ida sur un papier et deux fois par jour au moins, pensant être gentil, il se plantait devant Giovanni et lui déclarait avec un accent terrible : « Cher Giovanni, écrivez-moi *l'Amore dei cinque uomini*, j'ai une grande star sous contrat et plusieurs acteurs qui seraient merveilleux. » Il lui tapait sur l'épaule et partait d'un immense éclat de rire. Je sentais que Giovanni avait envie de le tuer. Un soir, exaspéré, il prit sa valise et disparut ; le pauvre, il n'existait qu'à travers son imagination et les manières brutales de Joseph le déstabilisaient.

Le bateau mouillait dans le port de Messine quand subitement Jack décida de m'emmener faire une escapade. Il avait loué une voiture peinturlurée de tous côtés et très poussive dans laquelle, au petit matin, il prit la direction de Caltanisseta, un village situé à deux cents kilomètres. La route était pénible et chaotique, mais le spectacle extraordinaire.

Nous fûmes impressionnés par le paysage immense où une campagne déserte, des vallées, des promontoires et des chaînes de montagnes apparaissaient en plans successifs comme un décor de théâtre, et par la terre aux couleurs qui vont du jaune au brun, parsemée des taches rouges faites par les soufrières.

La vision de Caltanisseta sombre et austère avec ses

clochers baroques, perchée au sommet de trois collines, nous fascina. Nous étions tout proches de la ville lorsque Jack entoura mes épaules de son bras et me dit en me serrant contre lui :

— Bérénice, j'aimerais que tu viennes vivre avec moi en Californie. Trouve un patron pour tes affaires, passe la main à Renato, fais ce que tu veux mais je t'en prie, je n'ai plus envie de me séparer de toi pendant des mois.

Souvent je m'étais demandé combien de temps durerait la situation ambiguë dans laquelle nous nous trouvions. En général ce sont les femmes qui veulent être sans arrêt présentes auprès de l'homme qu'elles aiment ! Entre nous les rôles étaient inversés, j'exerçais un métier en général dévolu aux mâles et il devenait jaloux de mon travail.

Son amour me frappa au cœur, bien sûr je souhaitais que nous vivions ensemble, mais puisqu'il ne pouvait pas passer son temps en Italie et qu'il m'était impossible de quitter Milan, que pouvions-nous faire ? Je m'étais fixé un but, me venger de Carlotta et de Michel, et être reconnue comme le patron absolu de l'empire Barzini. Je ne voulais pas renoncer. En plus, j'aimais ce que je faisais, je ne me voyais pas vivant à Hollywood en étant seulement la compagne de Jack. Je pensais que notre amour n'y survivrait pas. Ne voulant pas le peiner, je lui répondis :

— Je te promets de faire le maximum pour me libérer, en tout cas, j'irai prochainement passer un mois chez toi, tu pourras enfin me montrer tes lieux magiques. Je t'aime, Jack, il faut que tu sois bien sûr de cela.

Il m'embrassa passionnément et fit redémarrer la voiture.

C'est à pied, enlacés, que nous arrivâmes par les rues tortueuses à la monumentale piazza Garibaldi dominée par l'église, le duomo et les campaniles. Les façades des maisons ornées de céramiques donnaient un air de gaieté à cette ville sombre. Après nous être restaurés de fruits et de fromage dans un petit café de la place, nous prîmes le chemin du retour.

En approchant de Messine, je fus frappée par la démarche de Jack : il m'avait fait parcourir quatre cents kilomètres pour me dire qu'il voulait vivre avec moi. Il devait chercher l'occasion propice pour me faire part de son désir, cette pensée me toucha profondément, nous nous entendions à merveille, à tous points de vue, et nous étions amoureux... mais je ne pouvais pas abandonner ma propre vie, même si cela était douloureux.

La fin de la croisière fut assez mélancolique, la vie à plusieurs sur un bateau même très spacieux est à la longue difficile. Le manque d'espace vital devint pesant, nous avions tous envie de rentrer chez nous.

C'est à Naples que nous nous sommes séparés. Les trois Américains allaient à Rome prendre leur avion, Paolo et moi retournions à Milan.

*

Peu de temps après mon retour, je dus affronter une nouvelle crise : quatre tableaux dont deux d'Antonello da Messine, célèbre peintre du XVe siècle, et deux Michel-Ange, avaient disparu du musée de Pietro. Pas d'effraction, pas de traces, le gardien du musée était au-dessus de tout soupçon : fou de ce qu'il considérait comme « sa collection », il ne l'aurait pas amputée de la plus petite toile.

Evidemment je pensais à Carlotta. En dehors d'elle, du gardien et de moi-même personne n'avait les clés de ce musée. Comment faire pour la confondre ? Encore un casse-tête à résoudre, un procès, des ennuis... Cette femme ne me laisserait donc jamais en paix.

Paolo et moi avions chacun deux gardes du corps et je ne me déplaçais plus qu'en voiture blindée. Bientôt il faudrait que j'engage une équipe de détectives à temps complet pour surveiller cette bande de malades. Mardone, Coggio, Michel, Carlotta, tous des piqués. Que pouvaicnt-ils bien espérer ? Si je quittais le groupe Barzini, je le vendrais à une multinationale, sûrement pas à leurs amis. A quoi pouvait bien leur servir cette guerre acharnée qu'ils me livraient ?

*

Mes directeurs étaient submergés de travail, la concurrence était de plus en plus dure et je n'avais pas encore vraiment remplacé Luigi Bucco. Devenue méfiante, j'avais séparé le travail entre trois personnes mais, compte tenu de la structure du groupe, ce n'était pas l'idéal.

Renato était très fatigué et je me faisais beaucoup de souci pour lui. Cette histoire de tableaux l'avait profondément perturbé et je ne comprenais pas pourquoi il prenait ce vol tellement à cœur.

Pour développer nos affaires j'avais recherché un

partenaire en Angleterre, les tractations ayant abouti, je me rendis à Londres pour la signature du contrat.

Jamais Federico ne m'avait emmenée chez Pietro, chaque fois que nous avions séjourné dans cette ville et sous des prétextes divers nous habitions au Dorchester. Cette fois-ci je comptais bien m'installer dans cette maison devenue la mienne.

J'avais prévenu Jack que j'étais obligée de retarder mon séjour chez lui, mais que si par hasard il pouvait venir me retrouver en Angleterre ce serait merveilleux. En bougonnant il me répondit qu'il allait voir. Depuis deux années de vie semi-commune, c'était la première fois qu'il se montrait désagréable.

*

J'arrivai à Londres un après-midi d'octobre. Les feuilles mortes jaunes et rouges tombaient des arbres, le temps était doux, je me fis conduire en taxi directement à St-James Park où se trouvait l'habitation. J'avais prévenu le majordome qui s'occupait de cet hôtel depuis au moins quarante-cinq ans (il avait très bien connu mon grand-père) que j'arrivais et d'avoir la gentillesse de me préparer une chambre. Sa réticence m'intrigua.

Je sonnai et fus reçue par un homme en livrée, comme chez la reine, d'un âge certain, très proche de celui d'Aristide, et plein de déférence. Il avait la silhouette et la démarche d'un héron bien élevé. Ses cheveux clairsemés formaient deux petites vagues soigneusement symétriques au-dessus de ses oreilles. Il avait le nez aigu, osseux et aristocratique.

– C'est un plaisir de recevoir Madame dans le temple de Monsieur Pietro. Depuis qu'il nous a quitté je n'ai rien changé, rien touché, j'entretiens sa maison comme si demain il devait revenir. J'attends toujours son coup de téléphone : « My dear Arthur, I shall be at home tomorrow night, please would you prepare my bath for seven o'clock. »

Cet homme me sembla un peu dérangé, décidément mon entourage ne s'améliorait pas.

Il prit cérémonieusement mes bagages et m'introduisit dans une bibliothèque-boudoir qui s'ouvrait sur une terrasse donnant sur le parc. Cet endroit était insolite et charmant. Des fleurs dans les vases, un jardin en prolongement de la terrasse admirablement entretenu, une table et des fauteuils en métal ouvragé, sûrement très anciens, ripolinés de blanc, semblaient dans l'attente de visiteurs.

Un drôle de malaise grimpa le long de ma colonne vertébrale, comme si j'avais pénétré dans un lieu hanté. Je jetai un œil curieux sur les murs, en dehors des rayonnages remplis de livres anciens, de nombreuses gravures étaient accrochées, dessins au fusain, gouaches délicates. En m'approchant, je découvris que tous représentaient des hommes nus ou demi-nus, en général de jeunes éphèbes attendris. Poursuivant mon observation, mon regard se posa sur des sculptures disséminées çà et là. Des hommes, encore des hommes, toujours des hommes.

Je m'écroulai sur le premier fauteuil et l'évidence me foudroya : mon grand-père était un homosexuel ! Voilà pourquoi Federico n'avait jamais voulu m'emmener ici. Toutes mes impressions d'enfant me revinrent à l'esprit. Son air distrait, sa grande courtoisie, ses absences fréquentes et prolongées, son amour passionné et esthétique de la peinture. Délaissé par Donatella qu'il avait sans doute aimée, il s'était laissé aller à ses instincts probablement sous-jacents et je découvrais à travers lui un monde qui m'était peu familier.

Ma curiosité l'emporta sur ma stupeur, je me levai à la recherche d'Arthur afin de visiter cette maison bizarre. Je ne fus pas déçue ; à côté du boudoir se trouvait un immense salon séparé de la partie salle à manger par des paravents peints de scènes champêtres et libertines fort suggestives. Une profusion d'argenteries délicates parfaitement astiquées s'éparpillait sur des tables, des consoles, des commodes, voisinant avec des lampes aux abat-jours juponnés. La cuisine attenante ressemblait à celle des vieux châteaux. Au premier étage, trois superbes chambres avec des lits à baldaquin, flanquées de salles de bains salon, toutes plus magnifiques les unes que les autres, attendaient leurs hôtes.

Au deuxième se trouvait l'appartement d'Arthur, à l'image des goûts de son maître, ses mœurs ne faisaient aucun doute.

Presque religieusement il m'expliqua qu'il ne m'avait pas préparé la chambre de mon grand-père : « Monsieur peut rentrer d'un moment à l'autre »..., mais celle de Monsieur Renato qui donnait sur le parc.

Cette fois c'en était trop, qu'est-ce que Renato venait faire dans cette histoire ?

– Ah bon ? Monsieur Renato venait souvent ici ?

— Il y a très longtemps, Madame, quand il était très jeune. Bien avant la mort de monsieur, il ne venait déjà plus, mais Monsieur Barzini appelait toujours cette pièce ainsi.

Sa pauvre tête était bien dérangée, il me parlait du retour impromptu possible de Pietro mais aussi de sa disparition.

Je commençais à avoir des angoisses, quelle famille ! Voilà pourquoi Renato ne s'était jamais marié. Et Federico ? Avait-il lui aussi changé de bord après la mort de ma mère ? Je ne lui avais jamais connu de maîtresse, peut-être était-il en ménage avec Renato ? Je ne savais plus où j'en étais, mais bien décidée à faire une enquête en rentrant à Milan.

Ursulla qui m'avait métamorphosée allait subir le feu de mes questions. Je n'avais rien contre les homosexuels, mais mon grand-père, Renato, peut-être Federico, cela faisait un peu beaucoup. Et dire que je ne m'étais aperçue de rien, j'étais vraiment la reine des gourdes.

Je comprenais maintenant pourquoi Renato était si perturbé par la disparition des tableaux. Il avait dû aimer Pietro, avoir connu avec lui une grande complicité, la collection était peut-être un peu la sienne, sans doute avait-il participé à son élaboration.

Lorsque Jack m'appela pour me dire qu'il arrivait le lendemain, je fus totalement affolée. Qu'allait-il penser de cet antre d'hédoniste ? Il se plaignait de ne pas avoir de racines, les miennes commençaient à m'étouffer.

Je le rappelai aussitôt pour l'avertir que je ne pouvais pas rester à Londres, je devais rentrer d'urgence à Milan. « J'arriverai en Californie dans quelques jours à condition que tu veuilles toujours de moi ? » Il poussa un hurlement de victoire et raccrocha. Ouf ! J'étais sauvée. Les contrats étaient signés, je pouvais prendre le premier avion en partance et une fois de retour en Italie Renato, comme Ursulla, serait bien obligé de me dire la vérité.

*

Le lendemain soir j'allai voir Renato. Grippé, il me reçut au fond de son lit parce que je lui avais affirmé avoir un urgent besoin de le voir.

Autour de lui, rien n'attira mon œil comme chez Pietro à Londres.

— Mon cher Renato, j'arrive de St-James Park et figurez-vous que j'ai couché dans votre chambre.

De pâle il devint rouge vif.

— Ma chère Bérénice, votre grand-père et moi étions très amis. Je l'ai connu à l'âge de dix-huit ans et je lui dois tout : il a payé mes études puis il m'a fait entrer dans ses affaires, je l'admirais énormément et je l'aimais beaucoup. Arthur est un peu dérangé, il ne faut pas croire ce qu'il raconte.

— Trêve de mensonges, Renato, j'ai compris que Pietro était homosexuel, que vous aviez été son petit ami, mais ce qui m'importe c'est Federico, je veux savoir si lui aussi était comme son père et vous.

— Rassurez-vous, Bérénice, Federico était un homme à femmes. Il n'a jamais été intéressé par les hommes : il était au courant de la vie que son père menait à Londres, ainsi que des relations particulières que j'avais avec lui mais je ne crois pas que cela l'ait perturbé. Sa mère lui avait expliqué qu'elle n'y voyait aucun inconvénient, aussi a-t-il accepté la situation sans en souffrir. Demandez à Ursulla, elle pourra vous en dire davantage, ils étaient très liés.

Je quittai Renato à moitié rassurée.

Pourquoi étais-je ainsi tracassée par la vie privée de Federico ? Après tout, s'il avait été homosexuel c'était son droit, mais je ne pouvais accepter cette idée. j'avais l'impression que mon idole tomberait en miettes et moi aussi par la même occasion. J'avais été fascinée par ses sentiments envers ma mère et si je découvrais qu'il avait eu des amours différentes, toute ma vie serait anéantie.

Je courus chez Ursulla. Elle seule pouvait me rassurer ou m'achever.

Ursulla avait perdu son mari, avec lequel elle vivait peu, quelque temps auparavant et était installée confortablement dans le centre de la ville où elle m'accueillit avec tendresse. Je la voyais rarement et je le regrettais, prises l'une et l'autre par nos obligations, mais je lui étais toujours reconnaissante de ce qu'elle avait fait pour moi.

Installée comme décoratrice depuis plus de dix ans, le pays lui devait toute la renaissance du « désign italien ». Très charismatique, elle avait attiré les jeunes créateurs et grâce à son goût très sûr, les avait fait travailler dans les bonnes directions. Elle avait toujours la même classe et une grande lumière dans le regard. Je ne pus m'empêcher de lui poser la question directement.

— Ursulla, je veux savoir si mon père était homosexuel ?

Son éclat de rire tonitruant me fit du bien.

— Ma chérie, que vas-tu chercher là, ce n'est pas parce que Pietro l'était que ton père avait suivi ses traces... Il l'aimait mais pas à ce point ! Tu débarques, tu ne savais rien ?

— Non, j'ignorais tout, c'est à Londres où j'ai dû me rendre, que j'ai fait cette découverte concernant Pietro et Renato. J'avais tellement peur que mon père...

— Federico n'a aimé que les femmes, crois-moi, en fait il n'en a aimé qu'une seule, ta mère, la grande passion de sa vie. J'aurais bien voulu que ma liaison avec lui soit différente, parce que j'en ai toujours été amoureuse, mais il n'a jamais voulu, à cause du souvenir d'Alicia et de ta présence auprès de lui. En dehors d'elle, tu es l'être qu'il a le plus aimé. Il était très attaché à Donatella, mais il trouvait qu'elle avait gâché sa vie et il lui en voulait un peu. Il était convaincu qu'après la mort de son père elle aurait dû aller retrouver Hans, mais étrangement elle ne l'a jamais fait, comme si elle ne voulait pas briser un rêve.

— De cela aussi tu étais au courant, Hans et Donatella, il n'y a que moi qui ne savais rien alors ?

— Tu sais ma chérie, tu étais trop jeune, ce n'est pas ton père qui pouvait te raconter tout ça, ce sont des histoires de femmes. Ta grand-mère l'aurait sûrement fait un jour mais tu avais à peine quatorze ans quand elle a disparu.

— En fait, tu es mon seul témoin, est-ce que tu

connais d'autres histoires curieuses sur ma famille ? Au point où j'en suis, je préférerais apprendre tout en bloc. J'espère que je n'ai pas quelque part un frère ou une sœur de la main gauche ? Je m'attends à n'importe quoi, alors tu peux parler librement.

– Mais non, Bérénice, que vas-tu chercher ! Si j'ai un bon conseil à te donner, ne pense plus à ton passé et parle-moi plutôt de ton avenir, où en es-tu ?

– Oh ! tu sais, mon avenir je ne le vois pas très bien. Il faut que j'élimine Michel et Carlotta de ma vie et de mes affaires, après je verrai. Merci Ursulla, tu m'as soulagée, je reviendrai te voir bientôt.

Je la quittai, fatiguée et triste. Découvrir les faiblesses des êtres que l'on a aimés et admirés est toujours une épreuve. Ce voyage dans le passé m'avait prise de plein fouet, j'avais les nerfs solides et la tête sur les épaules, mais un grand coup d'air frais devenait plus que nécessaire. Tant pis pour les affaires, Renato s'occuperait des tableaux et du reste, je n'avais plus qu'un seul désir : aller retrouver Jack.

Paolo irait chez Aristide pendant mon absence, l'instituteur du village lui donnerait quelques leçons, et moi j'oublierais un peu l'empire Barzini.

*

Cette fois je pars bien pour un autre monde : je ne suis jamais allée en Californie, ni même à New York, mais ce pays me semble extrêmement familier.

N'en déplaise à mesdames et messieurs les critiques, j'adore les films et les séries télévisées américaines, chaque fois que je le peux, je m'en délecte. J'apprécie leur système politique, leurs comportements civiques, leur forme d'humour. Les Latins me fatiguent à force de répéter qu'ils sont les plus beaux, les plus intelligents, les plus drôles, les meilleurs amants, etc. Leurs regards méprisants sur les autres m'agace et leur haine vis-à-vis d'un peuple grâce auquel ils ont été sauvés me dégoûte. Je dirais même qu'hormis l'empire Barzini je ne me sens pas Italienne. J'aurais certainement préféré naître Anglaise : comme eux j'aime les lieux que je façonne à mon image ou ceux dans lesquels je me sens bien, et pas du tout les pays dans leur généralité. Lorsque j'entends des personnes interviewées à la télévision par exemple, déclarer avec des trémolos dans la voix : « Ah ! l'Afrique, Ah ! l'Asie, Ah ! l'Italie, Ah ! la France », etc, je trouve cela stupide. Je suis hostile aux foules, aux manifestations, au « moutonnage » dans les idées et dans les actes.

En fait, je suis extrêmement élitiste et individualiste, ce qui ne m'empêche pas d'apprécier infiniment les qualités de cœur, la chaleur humaine, la bonté. Pour moi une Maria Baldi vaut cent fois tous les hommes politiques et toutes les princesses de la terre.

J'ai acquis une religion, celle du travail, cela je le dois en grande partie à mes ancêtres et je leur suis très reconnaissante de pouvoir vivre dans le confort ; mais je n'oublie pas que mon arrière-grand-père a quitté une pauvre bergerie où ses parents étaient dans le dénuement le plus complet arrivant à peine à nourrir leurs enfants. J'admire ce qu'il a construit et je sais que pour y arriver, il lui a fallu de la volonté, du courage, de l'intelligence et par-dessus tout du travail.

Un jour un de nos auteurs philosophes m'a dit que j'avais une vision simpliste de l'univers. C'est très possible, mais après quelques heures de discussion sur les différentes péripéties que la terre avait connues depuis des milliers d'années, nous arrivâmes avec humour à la même conclusion : « L'homme est invivable. » Sa vindicte est insatiable depuis la nuit des temps. En famille, entre voisins, entre cités, entre pays, entre continents, entre races, la paix semble une utopie. Quand on pense à l'infime instant de notre passage sur terre face à l'éternité et que nous le passons à nous bagarrer, cela paraît une absurdité congénitale.

Avec Jack nous regardions le monde avec le même œil, mais il n'avait pas réussi à m'arracher de l'esprit cette rancune tenace que j'avais à l'égard de Michel et Carlotta, causée par tout ce qu'ils m'avaient fait subir. Peut-être ce voyage contribuerait-il à estomper ce besoin de revanche viscéral dont je ne pouvais me débarrasser.

J'arrivai sans encombre à Los Angeles. Un bon western projeté dans l'avion avait chassé mes idées noires, et lorsque j'aperçus Jack et le soleil, j'acceptais pour une fois d'entrer en vacances.

C'est dans une limousine blanche qu'il m'emporta sur la colline de Beverly Hills où se trouvait *home*. Une maison toute simple, de plain-pied et de style espagnol, avec terrasse, jardin, piscine et patio. Une nature luxuriante, des fleurs partout et un grand calme, tout ce que j'aimais.

Nos retrouvailles furent passionnées, à l'image de ces moments bénis que nous avions connus à Bellagio, à Rome, à *Bel Soggiorno*. Cette fois j'étais chez lui et je m'embarquais à la rencontre de sa propre vie. Si le bonheur existe, je l'ai connu pendant ce mois vécu avec Jack, très loin des clichés habituels de l'Amérique. Il était dans une phase de réflexion et devait choisir entre trois sujets qu'on lui proposait celui auquel il donnerait son agrément. Il me demanda de les lire et de lui donner mon avis, j'en éprouvai un très grand plaisir et passai quelques après-midis au bord de la piscine, manuscrit en main.

Un couple de Philippins vivait dans une bâtisse indépendante à l'entrée de la propriété, le mari prenait soin du jardin de Jack qui n'était pas très grand et de ceux de deux de ses amis acteurs qui étaient ses voisins. La femme, Linda, astiquait, lavait, repassait et faisait la cuisine. Je découvris la salade d'épinards, le poulet texan, les galettes de maïs, les avocats marinés, le poisson cru à la tahitienne et bien d'autres nouveautés qui me ravirent. Elle circulait dans la maison comme une souris et tout semblait être fait par enchantement.

Jack les avait connus à Manille à l'occasion d'un tournage et les avait fait venir aux Etats-Unis. Il avait réalisé le rêve de leur vie.

Au bout de trois jours je ne savais toujours pas à quoi ressemblait Los Angeles et Jack m'expliqua qu'il allait m'emmener passer quelques jours à Newport. « Tu verras, c'est un endroit qui me plaît beaucoup. John Wayne a sa maison sur l'île de Balboa, à l'entrée du port, moi-même j'y loue un cottage à l'année. »

La limousine avait disparu mais une Studebaker gris métallisé dormait dans le garage. C'est à son bord que nous prîmes le lendemain matin la route du sud.

« Je refuse de te faire voyager sur les « freeways », ils se ressemblent tous, en Europe comme en Amérique. Rassure-toi, nous avons aussi des routes et je vais t'emmener par la côte. »

De Beverly Hills nous descendîmes à Santa Monica, puis à Manhattan Beach. Il me fit faire le tour de la presqu'île de Palos Verdes, un cap cent fois plus grand que le Cap Martin en France mais aussi beau, avec une magnifique végétation et des habitations pleines de charme. San Pedro, Long Beach, Sunset Beach, plusieurs stations balnéaires tout le long d'une côte assez plate, nous amenèrent finalement à Newport.

Là, le changement était total. Des collines entouraient un profond estuaire où la mer dans sa partie en bordure du Pacifique se séparait en différents bras entourant des îles. Etonnant paysage où une nature hostile domestiquée avait été rendue attrayante par la main de l'homme.

Le vieux port était très pittoresque et l'île de Balboa à laquelle on pouvait accéder en voiture m'enchanta. La maison de Jack était en bois peint en blanc de style victorien, semblable à celles de la Nouvelle-Angleterre, me dit-il, et se trouvait prolongée en bordure de l'eau par une très grande terrasse en bois. A l'extrémité gauche un ponton auquel se trouvait amarrée une vedette blanche.

De chaque côté du bâtiment, deux larges bandes de terre remplies de buissons et de fleurs le séparaient de ses voisins. « Tu vois, c'est ici que je travaille beaucoup, malgré la densité de population alentour, j'ai toujours l'impression d'être seul. »

Et c'était vrai.

Ce n'était pas grand, mais extrêmement confortable et pratique.

— Ici je vis en célibataire, une vieille nounou noire vient me faire le ménage, m'appelle son petit chou, me fait quelques courses et je me débrouille très bien. Tu sais, chérie, en Californie il y a de tout : le pire et le meilleur. Il suffit de bien gagner sa vie et de s'organiser en fonction de ses goûts. J'ai la chance d'avoir réussi et de ne pas avoir besoin de la compagnie des autres en dehors de mon travail.

Jack me ressemblait, lui aussi aimait les lieux et la solitude.

Une seule grande pièce au rez-de-chaussée, dont les murs étaient remplis de livres qui reposaient sur de simples planches en bois. Au fond se trouvait une cheminée en plâtre et de l'autre côté, un bar donnait accès à la cuisine.

L'espace était séparé par les meubles en trois coins distincts : le bureau où une large table croulait sous les dossiers, le salon avec un immense canapé qui regardait l'océan devant lequel trois petits guéridons permettaient de poser ses pieds ou son verre, près du bar une table ronde et des sièges de cinéma.

— Quand j'arrive ici je me sens complètement libre. Je vis au rythme de ma création. J'ai besoin de coucher sur le papier ce que je vais tourner, de mettre en scène mon film en dessinant des esquisses de décors et de costumes qui ensuite permettent aux spécialistes de réaliser vraiment ce que je souhaite. Cela m'aide aussi à réfléchir aux angles que je prendrai et au placement des caméras. J'imagine comment, par la suite, je ferai bouger les acteurs ; en fait, je construis entièrement le film dans ma tête et j'annote le scénario point par point, réplique par réplique. Après, je n'ai plus qu'à dire « moteur » et rendre réel ce que j'ai imaginé dans l'irréel.

– Tu me passionnes, continue à me parler de ton métier, c'est la première fois que je me sens attirée par une autre activité que celle d'éditeur. J'aimerais en savoir plus, encore plus. Raconte-moi.

– Tu sais, j'exerce une profession à risques, parce que je ne sais jamais lorsque le mot « Fin » s'inscrit sur l'écran, si le film sera réussi ou raté. Seul le public sanctionne mon travail et ce public est un juge impitoyable. L'avis des personnes de mon métier ne m'intéresse pas. J'ai eu deux gros échecs dans ma carrière, j'avais pourtant mis autant de soin à réaliser ces films que ceux qui ont eu du succès et les critiques n'avaient pas été mauvaises. Néanmoins la mayonnaise était ratée, et lorsque j'ai cherché à analyser pourquoi, j'ai trouvé tellement de raisons valables qu'il aurait mieux valu que je ne les tourne pas. Je m'étais totalement trompé, y compris et surtout sur le sujet.

Intéresser et capter l'attention d'un spectateur par une histoire qui doit doser subtilement le rire, l'humour, l'émotion, l'étonnement, la tendresse, est un numéro de haute voltige. Personnellement je n'aime réaliser que des comédies, les grands sujets de société ne sont pas faits pour moi parce que je n'ai aucun message à transmettre.

– Nous nous ressemblons vraiment beaucoup, peut-être qu'un jour je t'écrirai une histoire, celle de ma famille par exemple, crois-moi, elle est à rebondissements !

En veine de confidences je lui racontai les aventures de Donatella et de Pietro et les raisons pour lesquelles je n'avais pas voulu qu'il vienne à Londres. Il ne comprit pas très bien pourquoi j'étais aussi concernée par ma famille. Très indépendant et ne devant sa carrière qu'à lui seul, il avait une liberté de pensée et d'action que je lui enviais. Cet homme était à la fois profond et léger, par sa solidité il me faisait penser à Federico, mais il y avait en lui un détachement, une distance et une forme d'humour souvent railleuse que je n'avais pas connus chez mon père.

Le lendemain de notre arrivée, Jack m'emmena sur un port où il me fit monter à bord d'une grosse vedette équipée pour la pêche au gros.

– Je vais te faire découvrir, à toi le rat de bibliothèque, des sensations inouïes, me dit-il avec un sourire malicieux.

– O.K. chéri, allons-y.

En prononçant ces deux lettres j'eus une pensée émue pour Giovanni Testi grâce auquel j'avais rencontré cet homme que j'aimais.

Je n'avais jamais ni chassé, ni pêché. J'allais donc vivre une grande première.

J'abordais la pêche par la grande porte, la plus difficile. Assise à l'arrière du bateau, attachée fermement à un siège spécial, une ligne entre les jambes fixée dans un tube, Jack derrière moi pour m'apprendre les mouvements, nous filâmes en direction de l'île de Catalina.

Je ne comprenais rien à ce qu'il me racontait et je

lui expliquai qu'il valait mieux que je le regarde faire dans un premier temps. Nous échangeâmes nos places.

Au bout d'un quart d'heure de route, le skipper signala un banc de thons. Il fit faire une grande courbe au bateau et à un certain moment Jack jeta sa ligne. Quelques instants plus tard, une forte tension saisit sa canne. Déployant une certaine force il s'arc-bouta sur celle-ci puis le bateau ralentit et repartit de plus belle au moment où Jack enroulait le fil à toute vitesse.

Il se mit à crier des mots bizarres, me donna l'impression de dégager une force herculéenne et tout à coup je vis apparaître le thon bien accroché à l'hameçon, se débattant comme un fou. Cette lutte ne m'excita pas, je n'osais pas le dire à Jack qui lui était halctant et enthousiasmé. Je changerais peut-être d'avis, et j'acceptai, après un long moment, de prendre sa place.

Effectivement, la fièvre de la pêche était communicative. Au bout de deux heures je criais autant que lui qui s'était assis sur un autre siège. Nous tirions sur nos lignes de concert et fort joyeusement. Nous nous étions arrêtés pour déjeuner sur le bateau. J'étais épuisée et je réussis à la convaincre de rentrer à Newport. L'océan commençait à s'agiter fortement, j'aspirais à remettre mes pieds sur la terre ferme. Il me félicita pour mon courage.

– Tu es la première femme que j'emmène avec moi et qui paraît apprécier ce sport. Tu verras, la prochaine fois ce sera encore mieux.

J'avais mal partout et ne souhaitais rien d'autre qu'un bon bain.

Mes nouvelles expériences se multiplièrent, le lendemain il m'emmena à son club de golf sur une colline avoisinante et me fit prendre une heure de leçon tandis qu'il faisait quelques trous.

– Les Américains naissent avec un club entre les dents ! C'est un excellent sport pour la santé et je compte partager prochainement quelques parcours avec toi.

Cela me plut, j'avais toujours aimé marcher dans la nature. Le jour suivant il voulut me mettre sur la croupe d'un canasson, j'avais déjà appris à monter, ce n'était pas une passion, mais je n'étais pas mauvaise cavalière. Comme je ne lui en avais jamais parlé, je me gardai bien de le lui dire et je pus enfin l'éblouir. Il ne tarissait pas d'éloges sur mon « assiette », mon aisance, mon autorité, etc. Je décidai de ne pas lui dévoiler mon petit secret.

Nous devions rentrer à Los Angeles le jour suivant pour assister au mariage de Joseph et Ida. Après quelques années de concubinage, ils s'étaient décidés à convoler. L'union d'un producteur important et du plus célèbre agent d'Hollywood ne pouvait que donner lieu à des fêtes grandioses.

Je ne fus pas déçue.

Un millier de personnes s'ébattaient dans le somptueux domaine de Joseph, entièrement transformé pour l'occasion. Un décor des mille et une nuits où chaque invité jouait son propre rôle, étalant sa réussite dans une débauche de vêtements, de bijoux, d'ongles démesurés, de chevelures cascadantes, de chapeaux texans, de cigares gigantesques, d'alcool, de musique et de nourriture à profusion. Je me sentis toute petite et perdue au milieu de cette foule bruissante, parlant à demi-mots de cancans dont j'ignorais la signification, faisant allusion en riant très fort aux nouvelles liaisons ou aux récentes ruptures de la plupart d'entre eux.

Jack me présenta à quelques personnes et je m'aperçus qu'il était considéré avec déférence ; cela devait venir de son comportement très réservé.

Cette réception m'amusait, Hollywood dans tous ses fastes était un spectacle très particulier.

*

A la suite de cette manifestation tapageuse, Jack décida de m'emmener vers le nord.

— Je veux te convaincre que l'Amérique n'est pas seulement un pays de sauvages comme les journalistes européens veulent vous le faire croire. A Paris, Londres, Milan, Rome, Berlin ou Tokyo, tu as autant de quartiers pourris qu'à New York, Chicago ou Los Angeles et tu as autant de drogués, de délinquants et d'assassins.

La drogue est un fléau, mais tant que les gouvernements ne se mettront pas d'accord pour contrôler la production et détruire tout ce qui ne rentre pas dans les fabrications pharmaceutiques, il y aura des trafiquants, donc des réseaux, donc des gens faibles qui se laisseront entraîner. Les êtres humains s'évadent d'eux-mêmes parce qu'ils ne se supportent pas, ils ont peur de la vie et manquent de courage. Je ne fais jamais travailler un acteur drogué ou alcoolique, j'ai horreur de ça, et au grand dam de certains je n'ai aucune pitié. Chacun est responsable de son destin. J'ai vu mon père noyer ses échecs dans l'alcool. J'en ai gardé un souvenir méprisable. Il aurait pu réussir s'il avait accepté New York telle qu'elle était et non telle qu'il avait voulu qu'elle soit. Ma mère n'a jamais eu ce genre d'états d'âme, elle a travaillé et accepté n'importe quelle pièce pour nous nourrir. Mon père, lui, s'est enfermé avec des bouteilles pour oublier sa misérable existence et se complaire dans des chimères. Quand un ami a proposé de le faire engager à la télévision pour écrire des sketches, il a refusé : lui, le grand auteur dramatique, s'encanailler dans la télé ? Jamais ! C'eût été déchoir. Voilà ce qu'était mon père, je l'ai enterré une fois pour toutes.

Il fallait que je te dise cela, ma vie a été si différente de la tienne... Lorsque tu me parles de tes ancêtres et de l'admiration que tu as pour eux, cela me semble venir d'un autre monde ; finalement je ne suis pas sûr d'avoir besoin de racines, mais je sais que j'ai besoin de toi et je souhaite que tu viennes vivre ici avec ton fils.

*

Nous étions couchés dans son grand lit, lumières éteintes, quand il me fit cette déclaration d'amour.

J'étais émue, touchée, tentée de lui répondre que je serais là bientôt, avec lui, pour toujours, mais je n'y arrivais pas. L'emprise de l'empire Barzini et de son passé était encore trop forte, je ne pouvais pas abandonner la mission que je m'étais assignée. J'aimais Jack passionnément mais l'ombre de mon père planait encore sur moi.

*

C'est en avion que nous allâmes à Monterey où une voiture nous attendait à l'aéroport. Jack ne m'avait pas donné de détails sur le but de ce voyage. Quinze minutes plus tard nous longeâmes la côte vers le sud, dépassâmes le village de Carmel et à droite, il s'engagea sur une petite route en lacets qui descendait vers l'océan et où une multitude de pins parasols étaient accrochés à cette colline abrupte. Après quelques tournants il arrêta la voiture sur un promontoire et me dit simplement : « Nous sommes arrivés. »

Comme je ne voyais rien, je le regardai les yeux écarquillés et je sentis qu'il riait sous cape.

— Suivez-moi chère madame, je vous emmène chez une princesse.

Je descendis derrière lui un escalier malaisé dissimulé derrière les arbres. J'aperçus d'abord un toit, puis des murs en bois et enfin nous débouchâmes sur une magnifique terrasse dallée de vieilles pierres au milieu de laquelle un magnolia tordu, immense et plusieurs fois centenaire, se déployait en formant une véritable couverture. Partout étaient disséminées des plantes fleuries en pots et tout autour des buissons luxuriants se développaient dans de larges vasques encastrées. Toute la maison était en bois noirci, les « red woods » comme me l'expliqua Jack.

Il me prit par la main et m'emmena à l'extrémité de cette place où seule une légère barrière en bois elle aussi nous séparait de l'océan et d'un à-pic vertigineux.

– Si un jour je veux me débarrasser de toi, c'est ici que je t'emmènerai.

Un frisson me parcourut. La beauté de cet endroit me coupait le souffle.

Je ne savais toujours pas où nous étions quand je vis arriver à travers la grande baie vitrée un personnage extraordinaire.

Une femme vêtue de voiles multicolores, un turban sur les cheveux, ornée de colliers et de bracelets qui tintinabulaient à chacun de ses mouvements, tenait un pinceau dans une de ses mains et le faisait virevolter tout en se déplaçant comme une danseuse, les pieds glissés dans des babouches scintillantes.

– Jack my dear, enfin tu es là, viens vite que je t'embrasse. Alors voilà ta chérie, elle est magnifique ! Entrez, il fait chaud, asseyez-vous.

Tout cela était dit dans un anglais curieux avec un accent russe incroyable.

Jack était ravi de ma surprise.

– Tu sais mon chéri, je t'ai préparé votre chambre et tout ce qu'il faut, tu vas rester ici n'est-ce pas, ne me fais pas le même coup qu'avec cette peste de Lisa.

En entendant ce prénom je changeai d'attitude, cette escapade promettait d'être instructive, il fallait que je rentre dans les petits papiers de cette extravagante. Jack se décida à me la présenter.

Tout en entourant de son bras les épaules de cette dame qui devait bien avoir soixante-dix ans, il déclara :

— Bérénice, voici le peintre Zita Katerina Pereskowa, la plus jeune, la plus magnifique, la plus talentueuse princesse russe que je connaisse, de surcroît ma meilleure amie.

Tout en lui claquant un baiser sur la joue, il m'attira vers lui et s'adressant à Zita lui dit simplement :

— Voici Bérénice, la femme que j'aime.

Zita me fit un grand sourire et nous commençâmes une sorte de ménage à trois. Elle me sembla un peu folle, une folie douce, inoffensive, charmante. Elle ne faisait rien comme tout le monde. Elle se levait à deux heures du matin, se couchait à huit, déjeunait à trois heures, partait faire ses courses quand les magasins étaient fermés, jouait du piano à minuit, se mettait à peindre quand le repas était prêt... La vie auprès d'elle n'était qu'incertitudes ; mais il y avait ses histoires et lorsqu'elle se mit à me raconter sa jeunesse, je restai bouche bée. Zita avait défrayé la chronique. A dix-sept ans, cheveux flamboyants lui tombant au bas des reins, rire de gorge et jambes à faire damner un saint, elle dansait sur les braises avec une troupe de Gitans quand elle fut enlevée par un prince russe qui l'épousa à Saint-Pétersbourg et l'emmena ensuite à Paris.

Ce brave homme était mort rapidement d'un transport au cerveau et l'ayant laissée sans le sou, elle gagna sa vie comme modèle à Montparnasse. C'est avec des peintres devenus fort célèbres depuis qu'elle tâta du dessin et du pinceau.

Pas timide pour deux sous, elle allait vendre ses petits chefs-d'œuvre dans les bistrots et eut l'immense chance de rencontrer Wladimir Iliakoff, propriétaire d'une galerie de tableaux à New York. Celui-ci comprit tout de suite le parti qu'il pourrait tirer d'une princesse russe et l'embarqua avec lui.

Pendant cinq ans elle produisit des toiles à la chaîne, des dessins naïfs genre Douanier Rousseau, et Iliakoff fit fortune sur son dos.

– Heureusement je n'étais pas sotte : un soir où il avait été payé en liquide, je me suis emparée des billets et enfuie à Hollywood. Là, vois-tu, j'ai eu beaucoup de mal, les sœurs Gabor occupaient le terrain et il n'y avait de place pour moi ni dans les studios ni dans les galeries. J'ai traîné la misère à la recherche d'un milliardaire, finalement c'est à Las Vegas que j'ai rencontré Randolph Pullman. Son père le célèbre Julius était arrivé en Amérique avec des bottes bourrées de diamants sans doute volés.

Il avait prospéré, réussi et construit une fortune qui comprenait une banque, une maison de courtage en bourse à Wall Street, des gratte-ciel, des centres commerciaux, des supermarchés, des équipes sportives, un pipe-line, des brasseries et des hôtels.

C'était un colosse à la panse énorme, avec un visage rond et gras. Comme beaucoup d'hommes gros, il semblait jovial au premier abord, mais en fait ses petits yeux noirs se révélaient méfiants, cupides et dangereux.

Randolph ne ressemblait pas à son père. Plus grand, plus svelte, il paraissait sympathique et me fit une cour effrénée dès notre première rencontre. Il m'offrit rapidement quelques bijoux de prix et j'acceptai sans malice de le suivre pour quelques jours de vacances au Mexique, dans une de ses maisons proche d'Acapulco.

Cette demeure se trouvait dans un labyrinthe de rues sans nom ni numéro, à l'extrémité d'un quartier où les propriétés étaient jalousement gardées.

Durant le voyage il m'avait appris que Tom Cuernavaca, le chef de la mafia, possédait une maison proche de la sienne, qu'une sœur du Chah entretenait dans son parc une douzaine de paons blancs et se baignait dans une baignoire en or massif.

Derrière les hauts murs gris on ne voyait ni n'entendait rien du chaos bruyant extérieur. Le silence était absolu. De la terrasse, le jardin descendait vers une piscine de marbre entourée d'une immense étendue de gazon à rendre jaloux un jardinier anglais. Sur la pelouse, des statues romaines, des colonnes grecques, des volumes de Brancusi éclairés par des projecteurs étaient fantasmagoriques.

C'est là où il m'enferma pendant deux ans, gardée par cinq Mexicains armés, une cuisinière et une femme de chambre. Il arrivait toutes les semaines escorté par deux personnages, l'un court, trapu et essoufflé, l'autre immense, énorme, marchant à grands pas, la tête coiffée d'un chapeau gigantesque. Le premier portait toujours un cordon autour du cou auquel pendait une énorme tortue en argent et turquoise, le second ne quittait jamais sa mitraillette. Ces deux hommes étaient chargés d'assurer sa sécurité dès qu'il arrivait sur le territoire mexicain. Il avait paraît-il reçu des menaces.

Dès qu'il me voyait, il s'exclamait sur ma beauté et m'ordonnait de me baigner nue dans la piscine. Il s'asseyait alors sur un fauteuil, prenait des jumelles et me suivait des yeux en me scrutant, comme un chercheur explore la forme d'un virus à travers son microscope. C'était absolument obscène. Ensuite il me faisait danser, toujours nue, sur des braises, j'avais fait la bêtise de lui raconter ma vie ! Pour soi-disant m'occuper, il exigeait que je peigne. Triste et prisonnière dans cette maison sinistre, je n'avais aucune inspiration mais pour avoir la paix je faisais des gribouillis de dessins.

Randolph était un fou impuissant.

Je m'imaginais en train de finir mes jours dans ce lieu inquiétant en flirtant avec la folie lorsque ma délivrance se manifesta par l'arrivée un beau jour de Julius Pullman en personne.

Celui-ci, avec une froideur macabre, m'annonça que son fils s'étant tué en jouant avec un revolver, j'avais une demi-heure pour quitter les lieux. Il me tendit deux mille dollars avec une profonde lueur de regret dans ses yeux perçants. Je les lui arrachai des mains, me précipitai dans ma chambre où j'enfouis dans un sac les bijoux que j'avais cachés puis, revenue en courant, j'obtins qu'il me fasse conduire à l'aéroport.

Dans l'avion je me jurai de ne jamais remettre les pieds dans ce pays.

C'est à mon retour que j'ai eu l'idée de faire des dessins de mode. En deux ans j'avais eu le temps de ruminer et je m'étais exercée à faire des esquisses en cachette. Mes modèles ont plu à un costumier qui m'a engagée immédiatement, et pendant trente ans j'ai travaillé pour le cinéma.

Les hommes riches ne m'intéressaient plus, j'eus bien quelques aventures par-ci par-là, mais hélas pas de quoi planer dans le nirvana.

J'ai connu Jack il y a douze ans à l'occasion de son deuxième film, entre nous ce fut le déclic et depuis nous nous adorons.

Aujourd'hui je suis une femme heureuse, je peins, je vends mes toiles dans une galerie de Carmel, je joue du piano et je bénis le ciel d'être bien vivante et de faire ce que j'aime. Tous les jours mon voisin Stephen, un Anglais excentrique et charmant, m'apporte un panier de légumes qu'il cultive lui-même. Deux fois par semaine le vieux Jim de « Monterey » me dépose du poisson tout frais et Nina vient de Carmel pour me faire des robes. A tour de rôle ils me font la causette, s'extasient sur mes tableaux et chaque semaine nous faisons la fête. Je leur raconte Paris, Saint-Pétersbourg, Hollywood, nous chantons, nous dansons, nous rions.

Dis-moi, tu ne vas pas être une emmerdeuse comme l'autre et tu vas le laisser vivre à sa guise ?

– Vous n'aimez pas beaucoup Lisa Cavendish, ma chère Zita.

– Pas du tout, elle s'est servie de ce pauvre Jack, qui par reconnaissance accédait à tous ses désirs. Toi, mon petit, il paraît que tu es une femme d'affaires... Je ne crois pas que ce soit bon pour Jack. Il lui faut une femme qui s'intéresse à ce qu'il fait. C'est un créateur et je sais ce que je dis. Sa dernière conquête n'était pas mal, elle écrivait des scénarios, ils auraient pu faire une bonne équipe, mais elle était trop prétentieuse et trop arriviste.

– Comment s'appelait-elle ?

– Joyce Brentwood. Il a rompu quand il t'a connue.

Jack revenait d'une promenade, la conversation fut interrompue.

Il m'avait emmenée la veille visiter le village de Carmel fréquenté par les artistes, j'avais été charmée par ses rues rectilignes bordées d'arbres feuillus se croisant à angle droit, ses petites maisons mitoyennes de style espagnol, rococo, victorien et même normand, abritant magasins et restaurants de toutes nationalités.

Construit directement sur l'océan en bordure d'une plage de sable blanc où çà et là des pins japonais étaient courbés par le vent et où les goélands s'ébattaient sur les rochers, il ressemblait à un village d'opérette, propre, fleuri, baroque, respirant la gaieté, la facilité et l'abondance. Un esprit et des odeurs légères couraient partout. On sentait qu'aucune guerre n'était passée par là.

Nous avions dîné dans un restaurant français où le tournedos Rossini servi avec de la confiture d'airelles et de la gelée de menthe m'avait surprise. Je préférais de beaucoup la cuisine de Zita pleine d'imprévus mais toujours goûteuse.

Après trois jours de cohabitation, nous étions devenues les meilleures amies du monde. Devant cette bonne entente, Jack s'épanouissait.

Zita n'était pas si folle que ça et mon jugement se modifia. Perspicace, fine, cultivée, elle s'était créé un personnage déroutant, mais je comprenais pourquoi Jack l'aimait. Elle avait un cœur rempli de fantaisie et de délicatesse. Nous nous quittâmes à regret, nous promettant de nous revoir bientôt.

*

De retour à Beverly, je n'avais plus envie de bouger.

La tête sur l'épaule de Jack je cherchais en vain à me rendormir.

Dans la chambre silencieuse, je n'entendais que sa respiration, le frémissement des rideaux, le tic-tac de la pendule. Portées par une brise légère, les senteurs de la nuit entraient par la fenêtre ouverte.

Je me levai pour aller sur la terrasse, le jardin était paisible sous le ciel étoilé où brillait la pleine lune. Je soupirai de contentement.

J'appréciais ce merveilleux farniente occupé par l'amour, les grasses matinées, les promenades. Je n'avais envie que d'une chose, lire ou écouter de la musique ensemble. Etre seule avec lui sans rien faire, sans penser à personne d'autre que lui, voilà comment à cette minute j'imaginais le paradis. Ici je retrouvais la même sensation de paix qu'à *Bel Soggiorno*, même si celui-ci resterait à jamais mon lieu de prédilection.

Jack s'était levé sans bruit, je sursautai quand il me prit par la taille et m'embrassa dans les cheveux.

— Que fais-tu là mon amour ? Tu vas prendre froid.

— Je ne pouvais pas dormir, je pensais à tout ce qui m'est arrivé depuis des mois. Près de toi, je suis heureuse, restons ici et vivons pleinement notre amour.

« Vos désirs sont des ordres », me dit-il en me serrant dans ses bras. Un long baiser plein de passion raviva notre désir.

*

Matin et soir nous regardions les actualités à la télévision. J'étais frappée par le choix et les commentaires des sujets présentés, aux antipodes de ce que j'avais l'habitude de voir en Italie. Ici, pas de falsification permanente des faits, ni cette manie des pays latins de transformer le changement de place d'une pissotière en conflit droite-gauche, où cette dernière avait toujours raison et l'autre toujours tort : attitude manichéenne tout à fait imbécile qui m'assommait.

L'Amérique m'intéressait ; pas les snobinardes névrosées de Beverly, Malibu ou Santa Barbara aperçues au mariage d'Ida, j'avais les mêmes à Milan, Rome ou Paris, mais les fondements de cette société si différente de la mienne.

Avec Jack nous discutions sans arrêt.

J'appris ainsi qu'à une voix près la langue nationale des Etats-Unis aurait pu être l'allemand. Leur civilisation était anglo-saxonne et germanique. Ce mélange avait produit un peuple organisé, discipliné, travailleur, opiniâtre et libéral. Les immigrants minoritaires venus d'autres pays s'étaient insérés dans ce moule sans le remettre en cause. Des drames avaient jalonné leur histoire : l'extermination des Indiens, la guerre de Sécession, l'esclavage des noirs et la guerre du Viêt-Nam dont les séquelles étaient encore très présentes.

Aujourd'hui ils étaient confrontés à un grave danger, la possible domination à terme des Hispaniques avec l'envahissement des immigrants clandestins en provenance d'Amérique centrale. Déjà la Floride et la Californie étaient submergées par ces nouveaux habitants qui refusaient de s'intégrer et qui, arrogants et souvent indisciplinés, réclamaient la reconnaissance de l'espagnol comme langue officielle et le droit de vote.

Jack était extrêmement agacé par ce qui se passait et reprochait au gouvernement son manque de fermeté, opinion qu'il partageait d'ailleurs avec bon nombre de leaders noirs.

— Moi aussi je suis un immigrant, mais jamais je n'ai combattu les institutions et les valeurs de ce pays qui m'a accueilli, je les ai acceptées, si elles m'avaient déplu je serais parti. Le jour où je suis devenu citoyen américain j'étais conscient du privilège qui m'était accordé et je voulais en être digne.

Jack avait peu d'affinités avec les peuples latins, il les trouvait paresseux, hâbleurs, chicaniers, menteurs. Il aimait l'esprit, la rigueur et la religion des pays nordiques.

— Toi tu es une « fausse latine », c'est pour ça que je t'aime, me disait-il en riant.

Un jour où je lui demandais s'il avait d'autres amis que Zita, Joseph et Ida, il me répondit assez brutalement :

— Et toi, tu as beaucoup d'amis ? Moi j'ai une multitude de relations mais très peu d'amis, je les compte sur les doigts d'une main. Dans mon métier, tout le monde s'embrasse et tout le monde se hait. L'envie et la jalousie en sont les deux mamelles. Il faut avoir fait un long chemin avec des êtres avant de savoir si l'on peut compter sur leur amitié. J'ai beaucoup appris des humains après mes deux échecs. Personne ne me disait plus bonjour, certains par compassion, d'autres par satisfaction. J'ai trente-huit ans et j'ai fait le tour de beaucoup de choses. Aujourd'hui je vis pour mon métier et pour moi-même, mais j'aimerais aussi vivre pour toi.

Les amis, moi je n'en avais pratiquement pas, je n'en avais sans doute eu ni le temps, ni l'envie. En classe, les filles m'embêtaient, à l'université je ne pensais qu'à étudier, au bureau j'étais le patron et quand Federico était là sa compagnie me suffisait amplement. Comme Jack, mon métier m'obligeait à rencontrer énormément de monde, j'avais des relations étroites, intellectuelles, avec quelques personnes, mais aucune intimité affective. Très jeune j'avais été seule et je m'étais exercée à me suffire à moi-même.

Avec Jack c'était différent, je me sentais en famille, nous étions de la même race.

*

Mon départ fut une déchirure, je n'avais pas pu lui promettre d'abandonner mon métier et mes responsabilités, et je sentis que même si mon cœur restait auprès de lui, cela ne lui suffisait plus.

J'étais tiraillée, malheureuse, il était le seul amour de ma vie en dehors de Paolo et j'allais le perdre. L'orgueil de ma caste était toujours le plus fort. Je voulais absolument me prouver que j'étais digne de ceux qui m'avaient précédée et je voulais me libérer de Michel. C'était une véritable hantise. Aucun amour, même celui que j'éprouvais pour Jack, ne pouvait me faire changer de route.

CHAPITRE IV

Dans l'avion qui me ramenait chez moi, je ne pensais qu'à Jack, pas une seule seconde je n'avais trouvé le temps long auprès de lui. Il regardait la vie avec enthousiasme et dérision. Son esprit pointu et agile lui permettait de faire sans cesse des remarques pleines d'humour et de finesse qui me ravissaient.

J'allais rentrer à Milan pour retrouver l'univers impitoyable de l'empire Barzini, après ce mois de bonheur absolu, cette idée me paraissait saugrenue. Heureusement Paolo serait près de moi.

Je n'avais prévenu personne de mon retour, comptant me remettre du décalage horaire avant de paraître au bureau pour apprendre les mauvaises nouvelles.

Je revenais à Milan sans plaisir.

L'amour, les caresses, la chaleur de Jack allaient me manquer à chaque minute. J'avais abandonné mon bonheur en Californie.

*

Renato m'accueillit avec une joie totale et m'expliqua qu'il n'était vraiment pas fait pour l'exercice du pouvoir.

« Dans quelques jours Bérénice, je vous demanderai de partir en vacances, il me faudra au moins une semaine pour me remettre de ce mois d'enfer. Je me demande comment vous faites pour résister !

« A propos, les tableaux ont été retrouvés, cela nous a coûté cinq millions de lires ; c'est le fils de la cuisinière de votre tante qui les a rapportés. J'avais fait passer une annonce promettant une récompense, la cuisinière a vu les tableaux en ouvrant un placard, elle a prévenu son fils qui est venu les chercher et me les a remis. Votre tante n'en sait rien, elle aura une attaque le jour où elle s'en apercevra. Il paraît que son cerveau est de plus en plus dérangé ; elle a menacé son mari de le mettre à la porte s'il continuait à jouer aux cartes avec ses amis dans « son salon ». Quant aux garçons, ils sont couverts de dettes et les créanciers téléphonent ici pour se faire rembourser. »

Tiens tiens, j'apercevais le moyen d'éliminer Carlotta du groupe.

« Votre mari continue à intriguer avec Mardone, il essaye de lui faire racheter les actions détenues par la banque de Lugano. Rien n'est encore concrétisé mais j'ai du mal à les contenir. L'offre de Mardone monte toutes les semaines, ils ont déjà doublé la mise. Il s'agit sûrement d'argent fourni par Michel Clavier.

« Pour le reste, il n'y a pas de gros problèmes, mais il serait urgent que vous trouviez quelqu'un pour remplacer Luigi Bucco, aucun des trois juristes engagés ne fait le poids.

« Ma chère Bérénice, je suis bien content que vous soyez de retour, je vais enfin pouvoir dormir.

– Merci pour tout Renato, grâce à vous j'ai vécu un mois merveilleux. Après vos vacances je voudrais que vous recherchiez toutes les informations possibles sur les Grands Magasins Clavier : bilan, actionnaires, banques, alliances, emprunts, etc. Cela me sera très utile pour l'avenir. »

Me replonger dans les affaires me procura quand même une certaine satisfaction.

*

A son retour de vacances, Renato me fit une curieuse proposition. Il s'était mis dans la tête de me faire acheter un hôtel, un vieux palazzo vénitien dont il n'arrêtait pas de me décrire la beauté, la vue exceptionnelle, le raffinement et autres magnificences. Evidemment il y avait quelques travaux !... mais je pourrais l'acquérir pour une bouchée de pain. Il fallait vraiment que j'aille le visiter.

J'étais stupéfaite, jamais en temps normal il ne serait venu à l'idée de Renato de me faire investir dans l'hôtellerie. Lorsque nous avions des discussions sur le devenir du groupe, il me disait toujours qu'il fallait rester dans son métier et j'avais eu du mal à le convaincre de mon désir de prendre un jour le contrôle des Grands Magasins Clavier puisque Michel me poursuivait de sa vindicte. Je me demandais ce que Renato me cachait.

A sa troisième tentative de persuasion, je cédai à ses instances et lui demandai de nous réserver des chambres pour un week-end. Il était ravi.

J'étais peu souvent allée à Venise et notre arrivée par la route qui traverse la lagune fut gâtée par la vision des fumées du port de Marghera dont le ciel glauque était truffé de cheminées, celles, hélas, des raffineries de pétrole et des usines métallurgiques. Nous abandonnâmes la voiture dans un garage de piazzela Roma et nous nous précipitâmes dans le motoscafo qui emprunte le raccourci du Rio Nuovo. Renato commençait à s'exciter. Au bout d'un quart d'heure le bateau nous débarqua à l'hôtel Gabriella, sur le Grand Canal, où un chasseur de service porta nos sacs à l'intérieur.

Cette bâtisse avait un certain charme, de style gothico-vénitien, elle était construite autour d'un jardin privé que l'on apercevait dès l'entrée. Nous nous étions approchés de la réception où deux jeunes gens aux visages indifférents nous attendaient avec ennui, lorsque surgit un personnage qui serra Renato sur son cœur, puis s'empara de ma main et la tritura tout en déclamant sa joie de nous voir là tous les deux.

Cet homme volubile en faisait vraiment trop, il ne manquait pas de séduction, pourtant quelque chose chez lui me gênait. Un blondinet à peine âgé de quatorze ou quinze ans nous accompagna dans nos chambres. La mienne, prolongée par un balcon en encorbellement, donnait sur le jardin au milieu duquel les marbres colorés d'une cour pavée jouaient avec la lumière du soir. Les façades étaient ornementées de frises et au-dessus des fenêtres de grandes têtes sculptées me faisaient des clins d'yeux.

Cet endroit était vraiment très spécial.

Une demi-heure plus tard Renato frappait à ma porte, pressé de me faire visiter les lieux.

Salons, salles à manger, couloirs, chambres, tout était vaste mais tellement vétuste qu'il faudrait des années pour rénover tout cela.

– Mon cher Renato, si j'ai bien compris, cet hôtel est à refaire complètement ; il faut remodeler l'intérieur, trouver la possibilité de créer une centaine de chambres avec salle de bains puisque seulement une vingtaine sont convenables. Il faudrait changer les cuisines de place, installer des ascenseurs... sans compter tout le reste. Je me demande pourquoi vous voudriez que je me mette tous ces ennuis sur les bras.

– Ecoutez-moi, Bérénice, je vous assure que cela pourrait être une excellente affaire. Je m'en occuperai et une fois les travaux terminés vous revendrez cet hôtel avec une belle plus-value...

– C'est possible, Renato, mais cela ne m'intéresse pas. Oublions cela et passons un bon week-end. Je ne suis pas venue à Venise depuis des années et j'ai envie de me promener.

– D'accord. Je vais demander à Adriano de nous faire réserver une table au Harry's bar pour le dîner.

Il tourna les talons assez mécontent et j'allai m'installer dans la bibliothèque, une pièce qui m'avait plu ; j'étais née dans les livres et partout où je les rencontrais je me sentais « en famille ».

La salle octogonale était tapissée d'étagères et deux méridiennes tête-bêche en occupaient le centre. Eclairé par des lampadaires, le lieu était vraiment propice à la lecture.

Je m'approchai d'une étagère, attirée par de très vieilles reliures dont l'une d'elles portait, doré sur tranche, un titre en français : *Le livre des merveilles*. Je m'en emparai presque religieusement et m'allongeai pour le feuilleter.

Petite fille j'avais dévoré ces aventures de Marco Polo, mais j'avais oublié qu'il les avait écrites en français dans sa prison gênoise.

A peine avais-je commencé que la porte s'ouvrit livrant passage au directeur, le fameux Adriano.

– Carissima signora, je suis heureux de vous trouver dans cet endroit qui est mon sanctuaire. Je voudrais tellement avoir de l'argent pour sauver tous ces chefs-d'œuvre du passé, il me faudrait un mécène comme vous, vous êtes si extraordinaire, si intelligente, si exceptionnelle.

Je restai sans voix. Les hommes de cette espèce me glacent, je les trouve parfois drôles mais envahissants, et je me tiens toujours en retrait.

– Cher monsieur, comme je l'ai déjà dit à Renato, je ne veux pas investir dans l'hôtellerie. Je comprends que vous aimiez votre établissement, il a un certain cachet, mais vous feriez mieux de rechercher un investisseur du métier.

– Je les hais.

– Pardon ?

– Les hôteliers, je les hais, ce ne sont que de vulgaires marchands de soupe, des gargotiers, tenanciers de bordel sous couvert de la légalité. Ici, je veux refaire un palais, un vrai, comme du temps des doges, avec le confort en plus bien sûr, mais surtout avec la culture propice au farniente et à la flânerie. Savez-vous qu'ici les cadrans disent qu'ils ne comptent que les heures sereines.

Venise, ma chère, ce sont les puits à margelle sculptée avec les vasques pour les pigeons, les ponts en briques et les balcons fleuris, les rues sans voitures, le silence, le merveilleux silence qui pousse à l'indolence et à la jouissance.

Adriano me regardait persuasif, il pensait m'avoir ébranlée, mais devant mon air mi-figue mi-raisin, il reprit la parole, debout et en agitant son bras droit de manière saccadée :

— Je veux faire revivre Venise et les Vénitiens, ces êtres exceptionnels qui avaient le sens de l'intrigue et dont la subtilité s'exerçait aussi bien en amour qu'en politique. Au temps de notre gloire nous avons eu les meilleures entremetteuses, les meilleures espionnes, les meilleurs ambassadeurs. Nous étions craints et enviés par tous et cachés derrière nos loups et nos dominos nous vivions dans le faste et dans le secret. Pour les clients de ce palais je veux recréer cette époque et faire de leur séjour ici un enchantement.

Il venait de s'asseoir au pied de la méridienne, se rapprochant de moi insensiblement. Au fond de ses yeux pâles je discernais un soupçon de folie et je tenais très serré contre ma poitrine le *Livre des merveilles*, espérant pouvoir pivoter et m'échapper de ce siège comme l'anguille glisse dans la main du pêcheur. Heureusement Renato poussa la porte. A sa vue Adriano se leva, ajusta la veste de son costume gris, lui fit un grand sourire et l'invita à venir le rejoindre dans son bureau. Il nous quitta de sa démarche légèrement empesée au-dessous de la ceinture.

Mon regard interrogatif obligea Renato à parler, il avait compris qu'il ne pouvait plus biaiser.

– Voilà, Bérénice, je vais tout vous dire. Adriano est mon protégé, je l'ai connu à l'époque où il venait de se marier, son mariage était un échec sexuel, et c'est avec moi qu'il a découvert l'homosexualité mais hélas pour lui il ne veut pas l'admettre et depuis cette époque il vit mal. La seule chose qui le stabilise est son travail. Dans l'hôtellerie il se défoule. Il vit dans un milieu d'hommes souvent assez efféminés dont il est le patron, il les domine et peut ainsi compenser ses frustrations. En parole il n'arrête pas de casser du sucre sur le dos des « homos » et pourtant il ne peut se passer de leur entourage. Sa vraie peau le gêne et cela me rend triste.

Je compris que Renato était très malheureux, il avait sûrement été amoureux d'Adriano, peut-être même l'était-il encore. Depuis mon voyage à Londres et la découverte du passé de mon grand-père j'étais plus ouverte et plus compréhensive dans ce domaine.

– Expliquez-moi pourquoi vous voulez tellement l'aider à trouver un investisseur, il pourrait quitter l'hôtel Gabriella et prendre la direction d'un autre établissement.

– Hélas non, il ne veut pas quitter Venise où pourtant ses confrères le considèrent sans aménité. Il est trop différent d'eux, à la fois par ses études et par sa culture, même si cette dernière n'est pas très approfondie. Il fourmille d'idées mais ne pourra jamais les réaliser, aucun investisseur ne lui fera tout à fait confiance, il leur fait peur. Grand seigneur, généreux tout en regrettant ensuite ses largesses, aimant le panache, le décorum et parfois affabulateur, il inquiète et agace ses relations. Je ne sais vraiment pas ce qu'il adviendra de lui. Moi j'ai eu la chance de rencontrer votre grand-père qui a su tirer de moi le meilleur et m'a aidé à devenir ce que je suis. Avec Adriano, je n'ai pas pu, et j'ai l'impression d'être responsable de ses abus et de son mal de vivre. Cigarettes, café, tranquillisants, voilà son régime quotidien, à ce régime là il n'ira pas loin.

J'avais l'impression d'entendre un père parler de son fils et la peine de Renato me touchait ; pourtant je ne pouvais adhérer à sa manière de penser.

– Ecoutez Renato, vous devriez tourner la page, cet homme a plus de quarante ans aujourd'hui, ce n'est plus un jeune homme désarmé, c'est à lui de s'occuper de sa destinée, pas à vous.

– J'ai peur Bérénice, peur de ce qu'il va faire et de ce qui va lui arriver. Au fond je sais qu'il me déteste, mais je ne peux détacher mes pensées de lui.

– Je comprends vos angoisses, mais je ne crois pas que la solution aux problèmes d'Adriano soit la rénovation du palazzo, il faut seulement qu'il arrive à s'accepter tel qu'il est, ce jour-là, vous verrez que tout ira mieux.

J'étais émue par la confiance que me manifestait Renato, mais je ne voulais surtout pas être impliquée dans cet imbroglio. Mon père avait formé mon jugement et m'avait appris à raisonner avec lucidité. Je voulais bien aider Renato à trouver un groupe de repreneurs mais c'est tout ce que je pouvais faire pour lui.

– Où allons-nous dîner ce soir ? dis-je pour changer de conversation.

– Au Harry's bar, comme prévu. La table est retenue. Hélas, nous ne pourrons pas y rencontrer Hemingway ! Je vous retrouverai à vingt-et-une heures dans le hall.

Son humour revenait et cela me fit plaisir. Il avait pourtant hâte d'aller retrouver Adriano et je pensais que l'âme humaine est bien complexe, toujours atteinte par les souffrances, les douleurs et les difficultés à vivre.

Je décidai de monter me reposer dans ma chambre avant notre départ. En passant devant le bar, j'entendis un bruit de vives discussions : Renato, Adriano et deux autres personnages étaient attablés devant un whisky et ne semblaient pas d'accord du tout. J'avais la sensation de vivre à l'intérieur d'un film fellinien où les images se superposent sans véritables liens entre elles mais qui toutes participent à l'expression de la vision pessimiste de l'auteur sur les êtres et la vie. Ce palazzo me mettait mal à l'aise. Je serrais toujours le livre de Marco Polo sur mon cœur, ce Vénitien avait été un vrai héros, avec lui je pourrais m'évader un moment en parcourant son épopée dans son récit original.

Les escaliers craquaient, ma chambre me sembla presque inhospitalière. J'allumai la télévision pour sentir une présence et me dirigeai vers la salle de bains.

Deux heures après j'étais dans le hall, un peu plus

détendue et apte à participer à une soirée que j'espérais agréable.

Renato m'attendait, le visage tendu.

Le Harry's bar était proche, nous y fûmes accueillis avec chaleur par Arrigo Cipriani, nouveau maître des lieux qui, digne fils de son père, continuait la tradition en recevant le monde entier avec un art consommé.

Dans la salle à manger du premier étage notre table nous attendait. Claudia Cardinale dînait en joyeuse compagnie, Paul Newman et James Coburn n'étaient pas loin, la salle était comble et je m'assis avec plaisir.

J'optais pour un *tiziano*, cocktail de champagne aux raisins noirs, un vrai délice. Renato, en habitué, commanda une ronde d'antipasti et nous vîmes arriver du jambon de Parme moelleux à souhait, des scampi grillés à merveille, du risotto aux petites sèches, des olives dénoyautées des Pouilles accompagnant des filets de poisson d'une rare finesse, le tout suivi d'un extraordinaire foie de veau à la vénitienne, au citron et à la sauge. Après ce festin je fus incapable d'avaler le moindre dessert.

Le Harry's bar était un lieu vivant qui contrebalançait la sensation de semi-sarcophage du palazzo. Renato avait eu une bonne idée de m'amener ici. Le chianti aidant j'entrepris de le questionner sur sa vie. J'avais l'impression qu'il venait souvent à Venise.

— Vous vous demandez pourquoi je connais si bien cette ville... Il y a très longtemps votre grand-père m'avait demandé de réaliser un livre réunissant toutes les églises de Venise, il y en a deux cents, vous imaginez l'ampleur du travail. Comme il était très méticuleux, il avait décidé que je devais toutes les voir, les photographier, les analyser, afin que les lecteurs suivent mon œil au fil du récit.

Cette mission m'a enthousiasmé. Découvrir les peintures de Veronese sur les plafonds de San Sebastiano, le buffet d'orgues orné des ravissantes peintures du XVIIIe siècle de Guardi dans l'église Angelo Raffaelo, ou les marbres polychromes de Santa Maria dei Miracoli, fut un enchantement.

Cet ouvrage a été édité dans une superbe collection enluminée dont vous avez un exemplaire dans votre bureau.

— Parlez-moi un peu de Pietro, je l'ai si peu connu !

— Votre grand-père était le parfait représentant de l'honnête homme du XVIIIe siècle, d'une culture, d'une délicatesse de pensée et d'une originalité captivantes. Il ne fréquentait que des êtres raffinés et des artistes.

A Londres, il était un roi : ses amis venaient spécialement de tous les coins du monde pour y séjourner et bavarder avec lui. Le spectacle de cette ronde ininterrompue de visiteurs prestigieux était une école permanente.

— Vous aimiez beaucoup Pietro, n'est-ce pas ?

— Je lui dois tout ce que je suis, je vous l'ai déjà dit, mais plus encore parce que son exemple m'a démontré l'existence de l'exceptionnel.

C'est à ce moment de notre conversation qu'Adriano fit irruption dans la salle de restaurant accompagné de jeunes gens fort éméchés.

A leur vue Renato ferma sa main droite avec une telle violence que les jointures de ses doigts en devinrent blanches. Le regard qu'il leur jeta était à la fois douloureux et assassin ; homme de l'ombre et de la discrétion, il détestait les comportements provocants.

Adriano venait le narguer sous les yeux de sa « patronne » qui refusait de lui offrir son jouet.

Eternelle enfance des hommes pensais-je, ils jouent aux billes jusqu'à leur mort et espèrent séduire jusqu'à leur dernier souffle. Toutes les assemblées et conseils que j'étais amenée à présider ou auxquels je participais me démontraient cet aspect de leur caractère ; les plus brillants, les plus capables, gardaient toujours au fond de leur être ce côté parfois puéril qui m'émeuvait.

Adriano s'approcha de notre table et commença à nous congratuler. Il s'adressait à moi comme il aurait pu le faire avec une vedette de cinéma, mais tous les superlatifs dont il me gratifiait me laissaient indifférente. Dès notre première rencontre cet homme m'avait dérangée, je trouvais son personnage faux et là, devant nous, dans ce restaurant peuplé, brandissant son verre et insistant pour me toucher et me faire boire, je commençais à saisir les raisons de ma réticence. Je percevais à travers ses gestes, son regard, son port de tête, ses vêtements, ses paroles, l'expression d'une mégalomanie latente étayée de foucades inattendues.

Je m'étais déjà rendu compte que les gens qui prétendent aimer tout le monde et qui manifestent à l'égard de tout un chacun un intérêt et un amour débordants n'aiment en général personne, sauf ceux qui leur renvoient une image satisfaisante et rassurante d'eux-mêmes. En général entourés de courtisans lorsqu'ils ont le pouvoir, ces personnages se complaisent dans tous les faux-semblants. Décidément, dans cette histoire Renato était victime de ses sentiments et avait perdu sa lucidité coutumière.

Je me levai et lui demandai de me raccompagner à l'hôtel. En traversant la place San Marco, la douceur du soir me rasséréna et je le conviai à s'arrêter au Florian pour déguster un capuccino. J'avais envie d'écouter de la musique et de contempler la basilique. Assise dans ce vieux café où jadis Byron, Goethe, Wagner, Musset avaient usé leurs fonds de pantalons, je retrouvai par la pensée ce monde qui est le mien.

– Renato, lui dis-je au bout de quelques minutes, qui est le propriétaire du palazzo ? A mon avis c'est vous, mais j'aimerais l'entendre de votre bouche.

Il me regarda interdit.

– Vous n'avez plus rien à envier à votre père, ma chère Bérénice, vous êtes devenue aussi experte que lui et plus personne ne pourra vous rouler. C'est vrai, j'ai acheté ce vieux palais croulant il y a des années pour faire plaisir à Adriano qui, soi-disant, connaissait un groupe hôtelier décidé à le rénover et à le gérer avec lui. Ce groupe s'est défilé devant les délires d'Adriano et depuis je travaille pour boucher les trous.

– Mon pauvre ami, permettez-moi de vous donner un conseil : vous devriez vendre cette bâtisse à n'importe quel prix afin de sortir de cette situation catastrophique. Laissez donc Adriano à son destin, il trouvera toujours des gens pour le sauver, vous non.

– Vous avez raison, j'y ai souvent pensé sans avoir le courage d'aller jusqu'au bout. Aujourd'hui je sais que je ne peux plus reculer. J'espère que vous ne m'en voulez pas d'avoir essayé de vous berner.

– Pas du tout, vous m'avez donné l'occasion de revoir Venise et vous m'avez fait le plus beau compliment possible. Si à vos yeux je suis devenue l'égale de Federico, tout mon travail est récompensé. Pour la peine, je vais vous embrasser.

Demain nous appellerons les banques et nous leur demanderons de vous trouver un acquéreur. C'est à eux de faire ce travail, ils nous doivent bien ça !

Je posai ma main sur la sienne avec beaucoup de tendresse, pensant qu'après tout il était un peu mon oncle. Si Pietro nous voyait, il devait être heureux, Renato faisait vraiment partie de la famille.

En regardant les gondoles-sérénades illuminées de lanternes se prélasser sur les canaux, j'éprouvai un douloureux pincement au cœur, c'est avec Jack que j'aurais voulu être ici ce soir, même si cette ville ne m'avait jamais vraiment attirée. Venise la fascinante, en équilibre instable entre ciel et eau, dont la grandeur évanouie a donné naissance à un mythe d'artifice, de volupté, de tragédies et d'intrigues ourdies dans une ambiance de décomposition où les rêves deviennent cauchemars, et qui essaye pourtant de survivre sachant qu'inexorablement un jour elle sera engloutie. Je sentis tout à coup une odeur de cadavre et compris pourquoi elle n'avait jamais exercé sur moi de véritable attirance : le halo de mort inéluctable flottant autour d'elle m'était insupportable.

*

Six mois s'étaient écoulés depuis mon séjour américain, Jack n'était pas venu me voir, il ne pouvait pas disait-il. Nous échangeâmes quelques appels longue distance, deux ou trois lettres, puis ce fut le silence.

J'en avais ressenti une grande souffrance.

J'aurais pu aller le retrouver quelques jours mais il ne voulait plus de brèves rencontres. Mon espoir de le revoir s'était évanoui au fil des semaines.

Renato avait obtenu des informations précieuses sur les Grands Magasins Clavier qui allaient être introduits à la Bourse de Paris. Je lui avais demandé d'organiser le ramassage du papier à travers plusieurs agents de change afin de ne pas donner l'éveil.

Cette idée l'excitait beaucoup.

Quant à Carlotta, je l'avais faite convoquer par le notaire pour l'obliger à me céder ses parts dans le groupe. Il existait une clause qui, à prix égal, faisait de moi l'acquéreur privilégié. J'avais fait racheter les créances de ses fils par l'intermédiaire de Renato, devant l'ampleur du désastre elle fut contrainte d'accepter.

Malheureusement elle conservait encore deux pour cent.

*

Une fin d'après-midi, je travaillais tranquillement au bureau quand ma secrétaire me dit que ma tante désirait me voir. Je ne pouvais pas refuser.

Elle entra, rouge, excitée, les yeux exorbités et me traita de voleuse, de dégénérée, de salope et d'autres noms d'oiseaux en me réclamant ses tableaux.

— Ils sont à moi, m'entends-tu, Pietro me les avait donnés quand j'avais dix ans. Il n'avait pas le droit de les mettre dans son musée. C'est Renato, ce pédé et ta saleté de père qui l'ont obligé à me spolier, maintenant c'est toi qui me ruines et qui ruines mes enfants ! Je te ferai mourir, je te hais, je te hais ! hurla-t-elle en quittant la pièce.

Son esprit était vraiment dérangé, mais elle était en train de devenir dangereuse, il fallait que j'en parle à Renato et à mes gardes du corps. Peut-être serait-il plus prudent que j'envoie Paolo chez Aristide.

*

Jack me manquait de plus en plus, avec lui j'avais en plus découvert l'amour physique et maintenant je sentais des pulsions en moi dont je n'arrivais pas à me débarrasser. Un vendredi soir je fus prise d'un grand besoin d'air frais et de liberté, être suivie sans arrêt par des gardes du corps, même sympathiques, était souvent pesant. Poussée par je ne sais quelle force je leur faussai compagnie et pris la direction de Bellagio au volant de ma vieille Lancia, fonçant vers la maison si chère à Donatella.

La nuit était tombée depuis longtemps lorsque j'arrivai au portail du jardin. Je n'avais pas téléphoné, au cas où ma ligne aurait été sur écoute.

Je sonnai, sonnai, sans résultat. Ou les gardiens dormaient comme des souches, ou ils n'étaient pas là. Perplexe, je m'approchai de la maison voisine. J'avais aperçu une lumière et je pensais que je pourrais peut-être téléphoner afin d'essayer de les réveiller, au pire pour retenir une chambre à l'hôtel. J'ouvris la grille, montai le perron et frappai sur le gong : silence. Je poussai légèrement le battant qui céda facilement, j'entrai, appelai, rien.

Une lumière filtrait à travers une porte entrouverte à la droite du hall. Je m'en approchai doucement en regardant à l'intérieur et j'aperçus une chambre très vaste avec deux grandes fenêtres donnant sur le lac. Les murs et les plafonds étaient peints en blanc ivoire, des rideaux blancs en piqué de coton étaient à moitié tirés, la lumière d'une lampe à abat-jour éclairait un lit de l'autre côté de la pièce. Dans ce lit il y avait un homme, il bouquinait assis sur son séant. Avec son visage osseux au front haut, il me fit penser à un jeune étudiant potassant un cours.

Je l'observai pendant quelques minutes, les yeux mi-clos, et me demandai vaguement qui il était, et ce qu'il faisait dans cette chambre.

Le livre qu'il lisait me parut bizarre. C'était un gros volume aux caractères petits et serrés. Tout d'un coup, je réalisai pourquoi ce livre m'avait paru insolite : l'homme le tenait à l'envers. Il n'avait pas bougé d'un iota en me voyant entrer. Je le dévisageai en silence, il avait environ vingt-cinq ans, ses cheveux épais, blonds et trop longs avaient un aspect soyeux, ses yeux étaient sombres et enfoncés dans les orbites.

Je me rendis brusquement compte que lui aussi m'observait. En faisant semblant de lire, il me regardait à travers ses paupières entrouvertes tout en tournant les pages avec un froncement de sourcils appliqué.

— Je crois que ce serait plus facile si vous remettiez le livre à l'endroit.

Et je fus surprise d'entendre le son de ma voix qui semblait venir de très loin.

Il leva les yeux et sourit, sa figure était sympathique, il ressemblait à un étudiant sportif, plus à son aise avec une raquette à la main qu'avec un livre.

— Je lis toujours les bouquins à l'envers, dit-il d'une voix curieuse assez haut perchée, c'est bien plus amusant et très facile quand on a pigé le truc, mais ça demande pas mal d'entraînement. Eh bien, comment allez-vous, madame Barzini, vous êtes à la porte ?

J'étais ahurie.

— Comment connaissez-vous mon nom monsieur ?

— Conrad von Bullow, neveu d'Herbert von Bullow, héritier depuis trois jours de cette maison délicieuse et imprévue, léguée par mon oncle mort centenaire la semaine dernière.

Tout en me faisant cette déclaration, il sortit du lit vêtu d'un caleçon court, s'approcha de moi et me baisa la main.

— Que puis-je faire pour vous, belle madame ?

— Vous pourriez peut-être m'aider, lui dis-je hésitante. Ma maison est fermée, les gardiens ne répondent pas, je voudrais téléphoner. Mais avant tout, comment me connaissez-vous ?

— Je vous ai observée pendant des années à travers les haies et je vous ai vue il y a deux ans quand vous êtes venue avec votre amoureux. Pas mal d'ailleurs, vous aviez l'air drôlement pincée !

Ce garçon commençait sérieusement à m'agacer et je m'en voulais d'être entrée dans ces lieux. A reculons je me dirigeai vers la porte pour quitter au plus vite cet endroit et ce jeune homme qui ne me disait rien qui vaille.

D'un geste rapide il me devança, claqua la porte avec son pied, et d'un seul coup me prit dans ses bras en cherchant ma bouche.

Affolée je commençais à me débattre et à pousser un cri, vite étouffée sous les effets conjugués de la douceur de ses lèvres et de sa langue curieuse et humide. Presque portée par ses bras puissants, je me retrouvai sur le lit de la chambre blanche, en train d'être déshabillée par un inconnu qui tout en m'arrachant mes vêtements n'arrêtait pas de dire : « C'est toi que je veux. » Aucun homme n'avait fait naître en moi des bouffées de désir aussi brutales, je me laissai emporter sans résistance dans unc véritable folie érotique.

Pendant toute la nuit, puis sous la douche, je me suis demandée mille fois pourquoi et comment cet homme m'avait électrisée, il n'était pas spécialement beau et pourtant j'étais obsédée, malade de désir à la vue de son regard et de son corps. Il y avait en lui une part d'étrangeté qui suscitait ce désir violent qui m'effrayait et m'enchantait à la fois. Un je ne sais quoi d'indéfinissable.

Il dormait et je m'enfuis doucement pour ne pas me retrouver à nouveau sous son emprise.

Je sonnai à la porte de ma maison sans succès, me rappelant subitement qu'un week-end sur deux mes gardiens allaient chez leur fille. N'ayant pas d'autres clés, il valait mieux que je rentre à Milan.

J'allais monter dans la voiture lorsqu'une main attrapa mon poignet en le serrant avec violence.

« Alors petite madame, on s'échappe comme une voleuse ? Sachez bien que personne ne trompe jamais Conrad von Bullow. »

Effrayée et fascinée, je sortis de la voiture et le suivis sans un mot. Cet homme avait un regard égaré qui me fit frissonner. Il me poussa avec force pour rentrer dans la villa, s'habilla en vitesse après avoir mis le verrou, puis il empoigna un revolver caché sous le matelas et l'enfonça dans mes côtes.

« Alors madame Barzini, on aime bien baiser n'est-ce pas, et on croit ce que raconte le premier venu ? Nous allons remonter gentiment dans ta voiture et tu vas m'emmener à Vienne.

– Mais vous êtes malade, je ne peux pas vous emmener là-bas, je dois rentrer à Milan.

– Tu vas m'emmener à Vienne dit Conrad d'une voix menaçante en enfonçant le revolver un peu plus.

Le ton de sa voix me glaça, je fis démarrer la voiture et pris la direction du nord.

Nous étions sur la grand-route, il était tout juste huit heures du matin et la circulation était encore faible, une ou deux voitures seulement nous doublèrent. Je ne pus m'empêcher de parler.

– Vous êtes cinglé, mais qu'est-ce qui vous prend ?

Il me jeta un regard furtif.

– T'occupe pas et fais ce que je te dis, la maison du lac, il y a des années qu'elle nous sert de planque. Sur toi nous savons tout. Y a longtemps que j'avais envie de te sauter, alors hier soir tu penses, j'allais pas rater l'occasion ! Maintenant tu vas bien gentiment me conduire à Vienne, et tu passeras la frontière avec moi, comme de grands amoureux que nous sommes, pas vrai salope ? Tu as bien crié cette nuit, tu étais contente de t'envoyer en l'air avec ce cher Conrad. Et tiens-toi tranquille, un faux mouvement et je te descends. Maintenant, appuie sur le champignon. »

Je sentis le sang se retirer de ma figure, j'aperçus mon visage cireux dans le rétroviseur et j'accélérai. Dans quel guêpier m'étais-je fourrée ?

Nous roulâmes plusieurs heures avant d'arriver à la frontière autrichienne. Au moment de présenter nos pièces d'identité, Conrad me dit :

« Fais gaffe, si tu me fais passer tout ira bien, mais si tu essaies un coup vicieux, je te rectifie. »

Justement je pensais ouvrir la portière devant les policiers et rouler par terre en criant. Le revolver enfoncé dans mes côtes m'en fit passer l'envie. Mon visage était blême et la sueur coulait jusque dans mes yeux.

Les policiers nous regardaient avec indifférence en jetant un œil distrait sur nos papiers.

« Continue, me dit-il, je ne croyais pas que ce serait aussi facile, avec mes faux papiers je ne suis jamais tranquille. »

J'avais envie de me boucher les oreilles, j'avais peur qu'il ne me tue si j'en savais trop long, de toute façon une fois arrivé il voudrait sûrement se débarrasser d'un témoin gênant.

Quelques kilomètres après la frontière il respira, glissa le revolver sous sa cuisse et sortit un paquet de cigarettes. Nous allions nous approcher d'un village, mon cœur battait à grands coups et je me dis qu'il fallait que je provoque un accident si je voulais avoir une seule petite chance de survivre.

En quelques secondes je pris ma décision. La voiture filait à près de cent kilomètres à l'heure quand je dis à Conrad que nous étions suivis. Il se retourna. C'est alors que je braquai le volant et lançai la voiture sur un pin qui poussait sur le bas-côté tout en freinant à mort. Le véhicule fut déporté, Conrad se saisit de son revolver, appuya sur la détente, mais la voiture était déjà sur l'arbre et le coup partit au moment précis où nous entrâmes dans le sapin.

Je sentis un terrible choc, j'entendis vaguement le fracas de l'acier embouti et je m'évanouis.

*

Je savais intuitivement que j'étais à l'hôpital, j'essayais de me rappeler si j'avais bien écrasé la voiture contre l'arbre et si j'avais réussi à éliminer Conrad, mais mon cerveau fonctionnait mal. Il refusait de se concentrer sur ces événements et me ramenait sans cesse à Jack.

Pourquoi étais-je là ?

Comme dans un rêve, un homme s'approcha de mon lit.

– Madame Barzini, pouvez-vous nous dire ce qui s'est passé ?

– Ce serait trop compliqué de vous expliquer l'histoire en détail, il suffit que je vous dise que j'ai été kidnappée.

Mais je ne pouvais pas articuler et un sentiment de panique s'empara de moi en constatant que l'incrédulité s'était peinte sur le visage de l'homme.

Trois autres personnes entrèrent dans la chambre. Le premier, de toute évidence, était un docteur. C'était le plus distingué, son visage tanné était froid et serein. Derrière lui un homme en uniforme tripotait dans ses mains une casquette galonnée. Enfin j'aperçus une figure familière, celle de Renato. L'anxiété lui déformait les traits, il se pencha sur moi en prononçant des paroles que je ne comprenais pas.

Je croyais vraiment être démente.

*

Je sentis que quelqu'un me prenait la main et j'entendis une voix.

« On dirait qu'elle va mieux. Le choc a été terrible, c'est incroyable qu'elle n'ait pas de blessures. Si elle passe une bonne nuit, demain il n'y paraîtra plus. »

Pendant un long moment je restai immobile essayant de ramasser mes pensées : Bellagio, Jack, Conrad, puis je renonçai. Je devais dormir absolument, demain je saurais si Conrad était mort et si j'étais sauvée.

*

Je me réveillais, Renato se tenait là en face de moi entre les rideaux à demi tirés. Les traits de sa figure devinrent progressivement plus nets, et pour la première fois depuis je ne sais combien de temps je me rendis compte que je pouvais vraiment parler.

« Renato, que m'arrive-t-il ?

Chaque pouce de mon corps était douloureux. En quelques secondes il fut auprès de moi.

— Bérénice, enfin ! Je suis là, ne vous en faites pas,

tout ira bien maintenant. On vous a amenée il y a trois jours. Vous êtes restée évanouie depuis lors. Les médecins disent que c'est un miracle que vous soyez là. D'après tous ceux qui connaissent les lieux de l'accident, vous n'aviez aucune chance de survie. C'est une équipe de cantonniers qui vous a trouvée. Vous étiez commotionnée et couverte de contusions, mais Dieu merci, rien de cassé ! Vous étiez avec un homme, un dangereux bandit, il a été tué. Plus tard vous nous raconterez.

Je fermai les yeux. Conrad était mort, c'était la seule chose qui comptait.

*

Une ambulance me ramenait à Milan.

Maria Baldi me caressait le front, Renato merveilleux et paternel l'avait faite venir pour qu'elle prenne soin de moi. Il ne voulait pas que je reste seule, il avait peur, il paraît que durant trois jours j'avais dit des choses incohérentes.

Je me sentais mieux, mais j'avais le cerveau vide et par moments je ne savais plus qui j'étais. Maria ne parlait pas, ce n'était pas nécessaire, elle était là et cela me suffisait.

*

J'étais assise dans le salon, les yeux vagues, lorsque Renato arriva. Cela faisait une semaine que j'étais de retour et je n'avais vraiment repris mes esprits que depuis le matin même.

Il s'assit près de moi et m'expliqua que j'avais été la victime d'un membre des Brigades rouges.

« Où et comment avez-vous rencontré cet homme ? La police enquête, il va falloir que vous répondiez à son interrogatoire sinon elle pourrait penser que vous êtes une complice.

— J'avais envie de passer un week-end tranquille, sans gardes du corps, de prendre l'air. Je suis arrivée à Bellagio le soir, la maison était fermée, un homme est sorti de la villa voisine et m'a dit que je pouvais téléphoner de chez lui.

Je l'ai suivi, il m'a enfermée et le lendemain il m'a obligée à le conduire en Autriche... Il braquait un revolver sur moi, j'ai eu peur et j'ai précipité la voiture contre un arbre. C'est tout. »

Jamais je ne raconterais la vérité. J'avais tué Conrad délibérément, j'avais écrasé cette ordure qui m'avait procuré un plaisir qui maintenant me faisait horreur.

« Cet homme s'appelait Ulrich Werner, il était en prison à Francfort, condamné pour meurtre, il s'était évadé il y a trois ans. Aucune police ne l'avait repéré depuis. Pensez-vous qu'il habitait cette villa de Bellagio depuis longtemps ?

— C'est possible, je n'en sais rien. Il devait faire partie d'une organisation... Je vous en prie, Renato, n'en parlons plus, je veux oublier cette histoire et me rétablir.

— Ce n'est pas si simple, Bérénice, le chef des Renseignements généraux m'a dit que ce groupuscule avait été en rapport avec Mardone. Vous pourriez avoir été suivie depuis des mois et enlevée avec préméditation. Votre vie est vraiment en danger, je vais faire renforcer la surveillance, et surtout, ne leur faussez plus compagnie, je compte sur vous. »

Renato était fâché et inquiet. J'étais honteuse et salie, mais personne jamais ne saurait que Bérénice Barzini avait couché avec un gangster et y avait pris du plaisir.

*

Cinq minutes après le départ de Renato, l'inspecteur Corridano se fit annoncer.

C'était un grand type de trente-cinq ans, mastoc, brun, avec des petits yeux bleus qui me donnèrent la désagréable sensation d'être déshabillée du regard. Sa poignée de main était moite, il jeta sur mon salon un regard étonné.

« Je suis content madame Barzini que vous soyez en vie, vous vous en êtes bien sortie. Est-ce que Ulrich Werner était de vos amis ? me demanda-t-il en se dirigeant vers la fenêtre. Vous avez l'air contrariée, est-ce qu'il y a quelque chose qui ne va pas ?

— Non. J'ai fait la connaissance de Conrad von Bullow, en réalité Ulrich Werner, la veille de l'accident. J'ai déjà tout expliqué à la police autrichienne, je n'ai rien à ajouter.

— Pourquoi avez-vous semé vos gardes du corps si vous n'aviez rien à cacher ?

— Parce que j'avais besoin d'être seule, j'étais fatiguée, déprimée et je voulais passer deux jours tranquilles dans ma maison du lac où je vais souvent.

— Donc, si j'ai bien compris, Werner vous a enfermée pendant toute une nuit et vous n'avez rien fait pour vous échapper ?

— J'avais une frousse bleue. Si vous vous étiez trouvé dans la même situation, vous auriez eu la trouille vous aussi. Il m'a proposé de venir chez lui téléphoner. Arrivés dans la maison ce type s'est jeté sur moi par derrière, m'a attaché les mains, m'a jetée sur un lit et m'a enfermée. Le lendemain il m'a obligée à monter dans ma voiture et à le conduire en Autriche sous la menace de son revolver. Je ne savais ni qui il était, ni d'où il venait, ni où il allait.

— Pourquoi êtes-vous entrée dans une maison que vous connaissiez avec quelqu'un que vous dites n'avoir jamais vu auparavant ? Seriez-vous si naïve madame Barzini ?

— Il s'était présenté comme le neveu du propriétaire, Herbert von Bullow, je n'avais pas de raison d'être méfiante.

— Donc pas d'histoire louche là-dedans ?

Ses yeux me scrutaient intensément. En quelques secondes je réalisai qu'il ne fallait pas que j'aic la moindre hésitation.

— Mais non, pourquoi donc ?

— Vous en êtes tout à fait sûre ? Cette histoire nous semble bizarre.

— J'ai l'impression que vous en savez plus long que moi. Il vaudrait sans doute mieux que j'apprenne ce que vous avez à me dire.

Avec un plissement du coin des lèvres qui voulait être un sourire, il répondit :

— Non, rien d'autre qui pourrait vous intéresser madame Barzini, je vais me retirer. Merci de votre collaboration. »

Je me sentis soulagée, j'avais renversé la situation en l'attaquant à mon tour.

Quand serais-je débarrassée du cadavre de Conrad, probablement jamais parce qu'il avait pénétré mon corps et l'avait marqué au fer rouge.

J'avais besoin de Jack, j'avais besoin de Federico, mais au bout de quelques instants je me rendis compte que personne ne pourrait venir à mon secours.

Je me levai du canapé et me mis à examiner les fenêtres en regardant le jardin d'un air presque hagard : elles étaient closes. J'essayais de les ouvrir et je ne pouvais pas, je m'acharnais sur la crémone... Subitement je fus saisie d'un tremblement et je poussai un cri strident : j'étais prise au piège.

Maria Baldi arriva en courant dans le salon et je m'écroulai dans ses bras en sanglotant.

*

Il me fallut des semaines pour retrouver un semblant d'équilibre. Aristide m'avait téléphoné et déclaré qu'il garderait Paolo jusqu'à ce que je me sente mieux. Il me proposa de venir me reposer chez lui. « Tu seras la bienvenue. J'ai eu très peur pour toi, si tu as besoin de quoi que ce soit je suis là, ne l'oublie pas. »

Grâce à Renato et à son ami, la presse avait été discrète. L'accident ayant eu lieu en Autriche, les journalistes italiens se sentaient moins concernés.

*

Je n'arrivais pas à me rétablir, même pour sauver ma peau j'avais commis un meurtre, j'étais poursuivie par cette image. Je n'avais plus une seconde de paix. Un bruit, un mouvement imprévu, un pas derrière la porte, une ombre dans la rue, une marche d'escalier qui craquait, faisaient battre mon cœur et me déclenchaient une irrésistible envie de filer à toutes jambes.

Je repris le chemin du bureau et je me mis à sortir. J'avais peur de me retrouver seule à la maison avec mes obsessions.

Maria avait dû repartir à *Bel Soggiorno*, et je ne pouvais pas abandonner les affaires.

Un soir, moi qui ne buvais jamais, je me laissai tenter par une double vodka avec un tout petit peu de citron, je me sentis subitement mieux et je pris l'habitude, chaque fois que l'angoisse faisait son apparition, de la chasser grâce à quelques verres.

Un après-midi je sentis monter une nausée contre laquelle je ne pouvais pas lutter. Au bout d'un moment je me précipitai dans le cabinet de toilette et penchée sur le lavabo je vomis une bile amère qui me brûlait la gorge. Lorsque je me redressai enfin, je vis mon image dans le miroir et j'eus peur. Teint blême, yeux larmoyants, joues souillées... C'est la vodka, me répétais-je en retournant dans mon bureau après une toilette sommaire.

Le portrait de Federico était en face de moi, son sourire me sembla ironique.

Quelqu'un frappa et entra. Renato me regarda avec tristesse.

« Bérénice, vous n'allez pas bien, il faut que vous consultiez un docteur, cela ne peut pas continuer ainsi, vous devez vous soigner, pour vous, pour votre fils, en souvenir de votre père. Vous avez eu deux chocs terribles, deux enlèvements en trois ans sans compter le reste. Qui pourrait résister ? »

Je savais qu'il avait raison. J'avais les nerfs malades, je ne dormais plus, me nourrissais à peine, j'étais en pleine dépression et ce n'était pas l'alcool qui pourrait me guérir. Je devais me l'avouer et accepter l'évidence : j'étais malade. Confusément je pris conscience de l'urgence d'agir si je ne voulais pas finir dans une clinique psychiatrique.

Le lendemain je prenais rendez-vous avec le docteur Cristallo.

*

Cet homme merveilleux s'occupa de mon cas pendant près de trois ans.

Petit à petit je retrouvais confiance en moi.

Au début je n'osais pas lui dire ce qui me tourmentait tellement. Au fil des mois je finis par lui raconter tout ce qui s'était passé avec Conrad.

Il m'expliqua avec patience que je n'avais rien à me reprocher, qu'il s'agissait d'une pénible épreuve, je devais l'accepter comme telle et pouvais parfaitement la surmonter.

J'apprenais à mieux me connaître et à prendre quelques distances avec mon passé, ce n'était pas facile.

*

Durant toutes ces années, je me demandais comment je réussissais à travailler. Parfois j'arrivais au bureau et la vision des piles de dossiers, des liasses agrafées de notes tapées, polycopiées, imprimées, des rapports statistiques, des rapports financiers, des rapports individuels, des rapports de service, des doubles, toujours des doubles de lettres, de tableaux, de graphiques, me procurait un malaise tel que j'avais envie de disparaître.

Cristallo m'expliquait que j'étais atteinte de l'overdose Barzini, que je devais vivre différemment, m'occuper de mon corps, de ma beauté, aller au cinéma, au théâtre, rencontrer des amis.

« Vous avez vécu avec une idée fixe, dégagez-vous de celle-ci, ne vous fuyez plus. »

*

Je recommençais à croire en Dieu et à accepter tout ce qui m'était arrivé de dur et de cruel, non plus comme une punition de je ne sais quelles erreurs, mais comme un enrichissement de ma propre personne.

Au cours de cette difficile quête, je restais parfois de longs moments allongée, comme morte, entendant battre mon cœur et me disant : « Fais quelque chose, mais quoi ? Qu'est-ce qui valait vraiment la peine d'être fait ? Qu'est-ce qui représentait un sens quelconque ? » Et je m'imaginais faisant des choses extravagantes, soignant des malades ou exterminant Michel, Carlotta et les autres.

Je passais de l'amour de mon prochain à la haine de mes proches, tout en comprenant que ces sentiments excessifs et contradictoires me rendaient à jamais captive de moi-même.

*

Ma résurrection commença le matin où j'appris la mort de mon beau-père Robert Clavier, survenue en rentrant chez lui et provoquée par un infarctus foudroyant.

Enfin j'allais pouvoir me battre directement contre

Michel. J'avais déjà acquis dix pour cent de leurs affaires au travers de sociétés écrans, je continuerais la conquête de ma liberté en prenant le contrôle de sa société. De plus le divorce allait devenir possible en Italie, encore un peu de patience et mon but serait atteint.

C'est aussi à partir de ce jour-là que je pus repenser à Jack autrement qu'en faisant des cauchemars. Il m'avait téléphoné quelques mois auparavant mais je n'avais pas pu lui parler.

Cet amour que nous avions partagé pendant des années redevenait ce qu'il y avait eu de plus doux dans ma vie depuis la mort de Federico.

Je savais qu'il avait réalisé deux nouveaux films dont celui que je lui avais conseillé à Beverly, mais j'ignorais s'il était revenu en Italie.

*

C'est vrai que j'avais aimé Los Angeles, cette ville exprimait manifestement ce vers quoi tendait la civilisation future. Il émanait d'elle une espèce d'énergie souple, le sens de possibilités infinies. A la fois l'image de l'expansion gigantesque du commerce, de l'industrie, de la construction et, malgré tout, d'une cité encore remplie de jardins clos, pleins de floraisons allégoriques, de fruits et de fleurs en même temps. Dans cette ville j'avais réussi à éloigner mon esprit du passé.

Pourquoi n'avais-je pas voulu rester avec Jack ?

J'avais l'impression de sortir d'une très longue maladie. Un désir violent de le revoir, de parler avec lui, s'installa insensiblement dans mon cœur.

Paolo qui était revenu vivre avec moi le réclamait

souvent, mais comment pouvais-je faire puisque j'avais refusé de lui répondre, il y avait me semblait-il, tellement longtemps.

*

A l'occasion de petites vacances, je me rendis avec Paolo chez Aristide. Cet homme m'apaisait.

Je lui parlai de Jack et de mon amour pour lui, il me conseilla d'aller le voir et de lui expliquer de vive voix tout ce qui m'était arrivé. « Si tu penses qu'il t'aime il comprendra. Laisse-moi Paolo et fais ce voyage, ensuite tu pourras repartir du bon pied. »

Trois jours après je prenais l'avion pour Los Angeles sans avoir prévenu de mon arrivée.

Dans l'avion je me disais que je faisais une folie, mais mon besoin de savoir ce qu'il était devenu était le plus fort.

J'arrivai en taxi à Beverly, la maison où j'avais été si heureuse était toujours là. Je sonnai et aperçus le charmant visage de Linda.

« Ah ! madame, quel plaisir de vous revoir, depuis si longtemps ! Malheureusement monsieur n'est pas là, il est parti pour Newport avec Mlle Brentwood. »

Le sol se déroba sous mes pieds. Je n'avais pas voulu de lui et il s'était consolé avec Joyce.

Je ne pouvais pas rester là une minute de plus. Je demandai à Linda de m'appeler une voiture et je rentrai en Italie immédiatement. Je n'eus même pas le courage d'appeler Ida.

*

Ecrasée de fatigue et de sommeil, je m'installai désespérée dans mon siège. J'eus la tentation de commander une vodka mais je ne voulais pas retomber dans l'engrenage. Y renoncer me montra que j'étais vraiment guérie et cette constatation me fit du bien.

Je ne sais combien d'heures je dormis sans souvenir. Inconsciente, j'avais les yeux fermés, je ne savais plus très bien où j'étais, le sentiment de solitude que je ressentais était commun à mes rêves et à la réalité présente.

J'étais dans une grande salle vide qui ressemblait à un théâtre. Le vide de tous les sièges me terrifiait, les loges sur les côtés avaient l'air de grands tiroirs vides que des inconnus auraient pillés et laissés ouverts. Je n'avais pas voulu vivre avec Jack quand il me l'avait demandé, maintenant j'étais seule au milieu de cette immense pièce vide qu'était ma vie.

J'entendis une sonnerie, j'espérais que le rideau se lèverait, que la salle se remplirait et que l'espoir renaîtrait dans mon cœur.

Je sentis une main dans la mienne, douce et tendre, et j'entendis une voix fugitive qui me disait : « T'en fais pas maman, on va s'en sortir. »

Paolo était près de moi, avec son amour et son avenir. Le spectacle avait commencé, la salle s'était à nouveau remplie, je prêtais l'oreille aux applaudissements et dans le silence j'attendais qu'ils éclatent.

Je me réveillais lorsque les roues de l'avion s'écrasèrent sur l'aéroport de Fiumicino. Je sortais d'un rêve cauchemardesque mais imperceptiblement j'avais la sensation de déboucher d'un très long tunnel.

En attendant la correspondance pour Milan, je m'assis au bar et commandai un thé. En tournant la cuillère dans la tasse, le regard vague, je me sentis enfin guérie, désormais ma vie serait différente parce que je le voulais. Les luttes pour maintenir le groupe, celles pour en finir avec Michel et Carlotta continueraient, mais je n'étais plus la même.

Rien ne serait plus comme avant.

Cette découverte me redonna une vitalité qui m'avait fait défaut depuis bien longtemps.

CHAPITRE V

Ce fut par hasard et à Hambourg que je découvris pourquoi la famille s'était réfugiée à Lugano pendant la guerre. J'étais là pour affaires, le vent soufflait de la mer et à l'aube l'air était humide et frisquet.

Au dernier moment Renato avait dû renoncer à m'accompagner et je me trouvais seule dans cette ville que je n'aimais pas. Federico m'en avait souvent parlé comme d'un lieu de perdition et je me rappelais le dernier voyage que nous avions fait ensemble où, pour faire mon éducation, « un futur patron des éditions Barzini ne pouvait pas rester naïve », il m'avait fait visiter les bas-fonds. J'avais été horrifiée.

Ce jour-là les touristes pressés de goûter aux plaisirs interdits de la ville du péché grouillaient dans le quartier de Reeperbahn où tous les vices peuvent être satisfaits : boisson, drogues, filles, garçons, et cela à tous les prix.

Les bars de la grand-rue étaient remplis de prostituées, à Grosse Freiheit se passaient les spectacles crapuleux, sur la Herbert Strasse, assises derrière les fenêtres de leurs appartements comme à Amsterdam, les filles offraient leur « marchandise » à travers des chemises crasseuses et transparentes. Dans ce quartier tout était possible, m'avait expliqué Federico, acheter un garçon ou une fille de douze ans, coucher avec une mère et sa fille, assister à des accouplements contre nature et encore bien d'autres perversions.

Je repensais à cela tout en me maquillant, puis retournant dans la chambre, j'aperçus, glissée sous la porte, une enveloppe scellée sur laquelle étaient inscrits mon nom et « Confidentiel ». A l'intérieur je trouvai quelques feuillets tapés à la machine et une lettre manuscrite dans laquelle un certain M. Borg souhaitait me rencontrer si j'étais intéressée par ses *Mémoires*. Jetant un œil sur les feuillets, la foudre me tomba sur la tête, il n'était question que de Pietro Barzini.

Depuis mon voyage à Londres je me sentais toujours un peu mal à l'aise vis-à-vis de la mémoire de mon grand-père.

Que s'était-il passé entre lui et ce Borg ?

Je téléphonai au numéro indiqué et expliquai à mon interlocuteur qu'il ne m'était pas possible de me rendre à l'extérieur de l'hôtel mais que j'étais prête à le recevoir au bar le soir même avec son manuscrit.

L'homme qui s'approcha de ma table était vêtu d'un complet noir à veston croisé et d'une chemise blanche cravatée de noir elle aussi, ses yeux étaient de glace, ses traits anguleux et sa démarche raide ; en considérant son visage impassible, j'eus la sensation d'avoir rendez-vous avec un croque-mort.

« Voilà, madame Barzini, j'ai voulu vous rencontrer

parce que je ne suis pas sûr que vous connaissiez très bien l'histoire de votre famille et je crois qu'il serait bon que vous lisiez ces *Mémoires* avant que je ne les porte à un autre éditeur. Peut-être trouverons-nous un arrangement satisfaisant. Je vous les laisse et téléphonez-moi demain si vous voulez que je vous accompagne à Zurich. »

Avant que j'aie pu placer un mot, cet oiseau de mauvais augure avait disparu.

Je passai la nuit à lire cette déplorable prose où il n'était question que de guerre, d'espionnage, d'agents secrets, de plaque tournante et dans laquelle ce Borg accusait Pietro d'avoir volé des sommes considérables qui lui avaient été confiées à Lugano par les Américains, les Allemands, les Anglais et les Russes.

A la lecture de ce pavé, il ressortait que Pietro avait été un super espion, puisque tous semblaient lui avoir fait confiance. La clé de ce mystère se trouvait dans le coffre d'une banque suisse et si je voulais l'accompagner il pourrait me montrer toutes les preuves de ce qu'il avançait.

Vraie ou fausse, cette histoire inouïe surgissant plus de quarante ans après les faits et bien longtemps après la disparition de Pietro me paraissait incroyable. Mais ma curiosité et la défense de la mémoire de mon grand-père m'obligeaient à suivre cet individu jusqu'à Zurich.

Je ne connaissais pas cette banque très privée. Accompagnée de mon croque-mort, nous attendions sans nous parler dans une antichambre anonyme, puis je fus introduite seule dans une pièce magnifiquement décorée.

Devant une cheminée s'alignaient un sofa tapissé de cuir, une table basse et des fauteuils profonds, au mur des toiles de Chagall, Renoir, Courbet, Klee, Picasso. Le bureau était taillé dans un seul bloc d'acajou foncé et brillant, à côté duquel trônait une console de télécommunication avec téléscripteur et ordinateur.

Une porte dissimulée dans une bibliothèque livra passage à un homme très âgé qui s'approcha de moi et m'invita à m'asseoir. Il avait le dos voûté, des cheveux blancs clairsemés, un visage las et ridé, son regard était encore vif sous ses paupières lourdes.

« Madame Barzini, je m'appelle Ralph Honecker et j'étais un ami de votre grand-père. Je vais bientôt mourir et je ne pouvais pas disparaître sans avoir pris de décision concernant le compte de Pietro dans mon établissement. Moi vivant personne ne devait être au courant, même votre père l'ignorait. Je croyais être le seul détenteur de ce secret jusqu'au jour où M. Alec Borg est venu me voir en me proposant d'acheter son manuscrit contre la moitié des fonds déposés par votre grand-père dans ma banque.

En 1939, Pietro Barzini avait été contacté par l'Intelligence Service. Il résidait souvent en Angleterre et avait beaucoup de relations à Londres. Après les accords intervenus entre Mussolini et Hitler, ses amis anglais lui avaient conseillé de quitter l'Italie et de s'installer en Suisse, la propriété de sa femme à Lugano étant tout indiquée. C'est à partir de là qu'il a espionné pour leur compte jusqu'au jour où il a rencontré Ludwig Thyler, un adjoint d'Himmler. Ce qui se passa entre eux, je ne l'ai jamais su mais il est vraisemblable qu'à partir de cette époque il devint un agent double. Toutes les sommes versées à votre grand-père par les deux pays qui l'utilisaient ont été déposées chez moi. Il s'en est servi pendant toute la durée des hostilités pour payer ses informateurs. La guerre terminée votre grand-père n'a plus jamais touché à ce compte et nous l'avons administré comme celui d'un client normal. A plusieurs reprises j'avais demandé à Pietro ce qu'il comptait en faire, il m'avait répondu qu'il souhaitait le laisser dormir.

Il y a peu de temps, Alec Borg est venu me voir, se prétendant le neveu de Ludwig Thyler. Celui-ci, avant de mourir, lui aurait confié ses *Mémoires* dans lesquelles il parlait abondamment de ses relations avec Pietro et d'un compte en banque ouvert chez moi dont la moitié était sa propriété. Seul héritier de son oncle, il venait réclamer sa part en contrepartie de son silence sur le passé tumultueux de votre grand-père. J'ai fait quelques recherches mais rien n'étant satisfaisant je l'ai dirigé vers vous, craignant qu'il ne contacte quelque média en mal de sensationnel. »

*

Je pensais au croque-mort, cet être affreux avec ses oreilles minuscules, sa bouche semblable à un raisin sec, son crâne chauve et sa peau grêlée, je ne savais que répondre.

Devant ma perplexité, Ralph Honecker me donna un carnet de notes à la couverture fatiguée, me conseilla de réfléchir, appela son chauffeur et me fit conduire à l'hôtel Baur-au-Lac.

« Vous m'appellerez demain, je crois que M. Borg peut attendre un peu, je vais m'en occuper. »

*

Etourdie, abasourdie, je me retrouvai dans ma chambre, une brume glaciale avait envahi mon esprit, un voile se tendait entre moi et la réalité.

J'entendais la voix de mon père me disant : « N'ouvre pas ce carnet, ne cherche pas à connaître le passé, réponds que tout cela ne te concerne pas et dis à Honecker qu'il fasse pour le mieux. » J'eus la sensation qu'il me prenait dans ses bras pour me porter sur le lit, qu'il me serrait contre lui pour me protéger.

Je triturais ce carnet, le tournant dans tous les sens. Il fallait que je le lise, je ne pouvais prendre aucune décision avant de savoir. Je l'ouvris avec appréhension.

Ce n'étaient que des chiffres, des colonnes de chiffres à côté desquelles figuraient des mois et des années.

La première partie était de la main de Pietro, la seconde probablement de celle d'Honecker, la somme finale était gigantesque. Des millions de dollars avaient fructifié dans cette banque à l'abri de tous les regards indiscrets depuis plus de quarante ans. Mais à qui appartenaient-ils ? Aux Anglais, aux Allemands, aux Russes, aux Américains, à Pietro, à Thyler, à Borg ? Je n'en savais rien.

Pourquoi Pietro avait-il laissé cela dans cette banque sans jamais y avoir touché jusqu'à sa mort, sans en avoir parlé à Federico ? Peut-être estimait-il que cet argent n'appartenait à personne, qu'il était le prix de la compromission, peut-être de la trahison, mais peut-être aussi le prix de la liberté ?

Ce Borg avait-il une chance de faire éditer son manuscrit ? Sûrement, parce que le nom de Barzini lui ouvrirait toutes les portes y compris celle du scandale.

*

Allongée les yeux au plafond, je regardais le jeu des ombres et des lumières reflétées par le soleil couchant, comme la vie, pensais-je, et un terrible sentiment de solitude m'accabla.

*

Comment défendre l'honneur des Barzini ? A partir de ces soi-disant *Mémoires*, tout était possible pour salir notre nom, notre famille. Quelles garanties pouvais-je avoir en admettant qu'Honecker verse à cet individu la moitié du compte ? D'ailleurs, comment ce Borg pouvait-il en connaître le montant puisqu'il s'agissait d'un compte secret administré par Honecker lui-même ? A moins qu'une autre personne ne soit au courant à l'intérieur de la banque.

J'avais besoin de parler à quelqu'un, seul Renato pouvait m'aider. Je l'appelai à Milan et lui demandai de venir me rejoindre. A l'aurore il était là et je lui racontais tout.

« Est-ce que Pietro vous a parlé de ce Thyler ?

— Un jour oui, il l'avait évoqué devant moi avec une certaine émotion. Il le considérait comme l'homme le plus cultivé, le plus artiste qu'il avait jamais connu. Pianiste virtuose, collectionneur de tableaux, poète et journaliste à ses heures. Je pense que les liens entre eux avaient été très puissants. Il disparut à la Libération, adjoint direct d'Himmler, il aurait sûrement été condamné à Nuremberg.

– Pourrions-nous savoir s'il est mort et s'il avait de la famille ?

– Je vais essayer. Walter Wogman est un ami qui depuis des années poursuit les criminels de guerre, peut-être pourra-t-il m'informer.

– Merci Renato, je vais demander à Honecker de faire patienter ce Borg. »

Heureusement que Renato était auprès de moi. Diriger ces sociétés où l'emploi de milliers de personnes dépendait de moi était une énorme responsabilité. Je ne pouvais me permettre de faire une erreur. Non seulement la mémoire de Pietro était en jeu, mais le groupe lui-même pouvait s'effondrer.

En quelques minutes je décidai d'aller à Milan consulter le coffret de Federico, qui sait ce que j'y trouverais.

*

Il y avait bien deux fiches.

L'une sur Honecker, l'autre concernant Thyler, toutes les deux de la main de Federico. Lui aussi avait été victime d'un chantage. Je me plongeai aussitôt dans le dossier correspondant.

A l'époque, Thyler était réfugié au Brésil, il était malade et vivait dans l'estancia d'un de ses amis. Mon père avait pu stopper les pressions dont il était victime en lui faisant savoir qu'il n'aurait aucun scrupule à le dénoncer à la commission Weissmann.

Respectant le silence de Pietro, il avait continué à son tour à ignorer l'argent de Zurich et ne me donnait aucune instruction.

J'appelai Renato lui annonçant mon retour pour le soir-même.

Il avait avancé dans ses investigations. Thyler était mort il y a deux ans au Nicaragua, ne laissant aucune famille. Ce Borg était donc un imposteur. Sans doute avait-il connu Thyler durant son errance.

Une recherche auprès d'Interpol, à condition qu'elle soit discrète, nous donnerait éventuellement la possibilité de le confondre.

Nous avions édité trois ans auparavant les *Mémoires* d'un agent international ancien patron d'un service d'Interpol. Je l'appelai en espérant qu'il pourrait nous renseigner.

La découverte fut stupéfiante.

Borg avait un casier judiciaire et était le demi-frère de la secrétaire d'Honecker. Celle-ci espionnait son patron et avait monté le coup avec lui pour s'approprier une partie de cette fortune.

Les neutraliser ne poserait pas beaucoup de problèmes.

Mais que faire de ce capital ? La guerre était bien loin et cet argent occulte ne servait à personne. Je trouvais cela malsain. Etait-il possible de l'attribuer à de bonnes causes ?

Je fis part à Renato de mes hésitations, il me conseilla d'en parler avec Honecker.

Je retrouvai cet homme dans son bureau. Dieu qu'il paraissait vieux ! Il m'écouta attentivement ; la trahison de sa secrétaire travaillant avec lui depuis plus de quarante ans lui porta un coup, je vis ses traits s'affaisser et j'eus de la peine pour lui.

« Je vais avoir quatre-vingt cinq ans et j'en ai vu de toutes sortes, mais j'avais encore quelques illusions et vous venez de me les enlever. Je vous admire, vous êtes une femme exceptionnelle, vous avez raison de vouloir distribuer ce capital. Bien réparti nous n'attirerons pas l'attention et il fera beaucoup d'heureux. Je vais demander une liste des œuvres sérieuses. Pouvez-vous rester encore quarante-huit heures à Zurich ? J'aimerais que tout soit réglé avant votre départ. »

Je le quittai avec une certaine émotion, sa secrétaire avait sans doute été plus que cela pour lui.

Renato approuva totalement mes décisions et me dit : « Pietro et Federico seraient fiers de vous. Vous êtes tout à fait guérie Bérénice, vous n'avez pas flanché et vous avez réglé ce problème en grand patron. Bravo.

– Merci Renato, désormais je sais comment mes ancêtres détenaient leurs secrets, mais je ne sais pas si je pourrai faire comme eux. »

*

Depuis son fameux esclandre au sujet des tableaux, l'état de Carlotta n'avait cessé de se détériorer.

Les échos me parvenaient colportés par son personnel et ses relations, ils étaient de plus en plus inquiétants.

Je n'avais pas connu ma tante petite fille, mais les propos que ma grand-mère tenait sur elle à tout bout de champ en levant les yeux au ciel m'avaient fait comprendre qu'elle éprouvait une grande déception. Sans doute Carlotta n'était pas la fille dont elle avait rêvé. Ne ressemblant ni à son père, ni à sa mère, j'avais senti que pour eux elle représentait « le vilain canard. »

Naître sans beauté et sans intelligence dans cette famille douée leur paraissait impensable et gênant.

Ils avaient bien essayé de s'y accoutumer mais l'ironie permanente de leurs réflexions à son égard manifestait leur déception et sûrement leur chagrin.

Elle n'avait bien sûr pas réalisé que sa relative mise à l'écart des affaires de la famille était due à ses incapacités. Elle avait donc développé une sorte de névrose en poursuivant de ses vindictes successivement son père parce qu'il ne lui donnait pas son dû, son frère et enfin moi-même puisque, à ses yeux, nous étions des usurpateurs.

Elle était à la fois bête et rusée, de cette sorte de femme qui remplit les salons à la recherche de la souffrance d'autrui.

Invivable à l'extérieur, elle l'était encore plus derrière la lourde porte de son hôtel particulier. Ne pouvant plus rien contre moi, elle avait fait de Leonardo son souffre-douleur ; le pauvre homme, méprisé par ses fils auxquels Carlotta vouait une véritable passion, s'était réfugié dans d'interminables parties de cartes.

Il avait essayé, paraît-il, de faire chambre à part depuis de longues années, mais il s'était vu ramener dans le lit conjugal comme un bœuf à son licou. Carlotta avait un besoin physique de célébrités. Elle préférait les gens titrés, mais n'importe quel personnage, auteur, artiste, acteur – même médiocre – dont elle avait aperçu le visage à la télévision, faisait l'affaire.

Elle tissait autour d'elle comme une araignée rabougrie un insupportable filet de prétention et de méchanceté.

Ses fils habitaient toujours le *Palazzo*. En fait, ils ne rentraient que pour faire laver leur linge et mettre de temps en temps les pieds sous la table. Jamais ils n'avaient eu le moindre mot aimable pour leur père : ils l'ignoraient.

Quant à leur mère, ils avaient compris depuis longtemps qu'en la flattant ils pouvaient obtenir ce qu'ils voulaient, et comme l'argent leur filait entre les doigts, ils renouvelaient sans cesse leurs demandes jusqu'au jour où elle découvrit qu'en plus ils faisaient des dettes... et quelles dettes !

Sa haine à mon égard l'avait occupée, ses magouilles avec Michel Clavier et Mardone lui avaient pour un temps donné une sensation de puissance.

Ses échecs successifs embrumèrent de plus en plus son cerveau, je crois que c'est la brusque détérioration de ses relations avec ses fils, à qui elle avait fermé le robinet, qui déclencha ses premières véritables crises d'hystérie. Enfermée dans son propre piège, elle ne savait plus comment en sortir.

Renato m'appela un soir et m'expliqua que la police avait été appelée chez Carlotta, celle-ci ayant voulu tuer son mari. Felipo et Alfonso leur demandaient de faire interner leur mère. Son ami du ministère de l'Intérieur venait de le prévenir, souhaitant savoir ce que j'en pensais.

Je remerciai cet ami fidèle et lui demandai de m'accompagner sur les lieux.

J'avais hérité de l'empire Barzini et, de ce fait, j'étais devenu le chef de la famille. Chaque fois que quelque chose allait mal, c'était vers moi que se tournaient les autorités, les créanciers, les banquiers. Ce soir-là, je compris vraiment ce que signifiait le mot « dynastie ». Héritière du pouvoir d'une lignée, j'avais aussi le devoir d'en défendre ses membres. Je ne pouvais pas laisser mes cousins dépouiller leur mère, l'enfermer dans un asile et piétiner leur père. Je devais compenser l'horrible comportement de ces personnages ignobles, élevés en dépit du bon sens et, même si Carlotta m'avait fait beaucoup de mal, elle était la sœur de mon père et je ne pouvais pas l'oublier.

Lorsque nous arrivâmes au *Palazzo*, je pris la main de Renato, j'avais besoin de sentir qu'il m'approuvait.

Une dizaine de policiers se trouvaient à l'intérieur. Un médecin avait été appelé, Leonardo gisait sur le sofa, un énorme pansement à la tête. Carlotta, hébétée et sous calmant, était allongée sur un divan. Les amis de « cartes » de Leonardo étaient agglutinés, terrorisés dans un coin de la pièce.

Felipo et Alfonso, arrogants, péroraient sans aucune lueur de tendresse ou de pitié pour leurs parents.

Une immense tristesse m'envahit et je pensais à la famille et à ce que je lui devais. Il fallait que je mette ces pauvres êtres à l'abri de leurs propres enfants, le temps de la rancune et des haines était passé, je ne pouvais pas me réjouir de leur déchéance. J'avais eu la chance d'hériter des « bons gènes » comme l'aurait dit ma grand-mère Donatella, mon respect pour mes ancêtres devait prendre le pas sur toutes mes rancœurs.

Après une discussion avec le chef de la police à l'insu des garçons, nous décidâmes de les faire transporter dans des cliniques différentes. Il fallait en premier lieu gagner du temps. Ensuite, je pourrais discuter avec les hommes de loi et voir avec eux comment empêcher les enfants de spolier leurs parents et la meilleure manière de leur assurer une vieillesse décente.

Carlotta allait avoir soixante-treize ans, Leonardo bientôt quatre-vingts. Je n'avais pas le droit de les laisser à la merci de ces deux crétins malfaisants qui se ressemblaient comme des jumeaux, passaient leur temps avec des prostituées, invitaient la pègre milanaise à boire et à manger dans les bars louches de Milan. De noble, ils n'avaient vraiment que leur nom.

Régler ce problème me prit plusieurs mois et la police fut obligée de convoquer ces deux zigotos afin de leur faire peur en leur promettant de les arrêter si leurs menaces à mon sujet ne s'arrêtaient pas.

Carlotta fut transportée dans une clinique adaptée à son cas, et Leonardo s'installa dans une maison de retraite très agréable où il pourrait enfin jouer aux cartes en paix. Un notaire sous le contrôle de Renato fut chargé d'administrer les biens de ma tante.

*

Paolo aurait quinze ans dans quelques jours, c'était un jeune homme charmant, plein de délicatesse et d'enthousiasme. Il était devenu pour moi un véritable compagnon.

Durant ces dernières années nous avions fait mille choses ensemble, du ski, du tennis, du bateau, du golf.

Il rêvait des Etats-Unis, était profondément attiré par les arts et aucunement par les affaires. Il ne voulait jamais venir au siège des éditions, être l'héritier de cet empire était le cadet de ses soucis.

Il s'était fait des amis à son image, que nous recevions à *Bel Soggiorno* pendant les vacances. La maison était pleine de rires, de musique et de joie de vivre.

Le petit-fils de Maria, Sergio, était son grand copain, son confident. Tous deux commençaient à regarder les jeunes filles avec un air vaguement intéressé.

Paolo n'avait pratiquement plus vu son père qui se débattait dans des problèmes insolubles. Cela ne le gênait pas. Aristide avait toujours bon pied bon œil, et c'est auprès de lui qu'il trouvait cette présence masculine nécessaire à son équilibre.

La santé de Renato s'était améliorée, il continuait à acheter des actions des Grands Magasins Clavier.

Un matin il pénétra dans mon bureau avec son éternel sourire légèrement crispé. J'avais toujours pensé qu'il ressemblait à un banquier de la City ou à une grosse légume de l'Intelligence Service, grand, mince, les cheveux frisés presque entièrement blancs, une mise très soignée, un teint toujours bronzé, avec son visage long aux pommettes saillantes et ses yeux gris, il ne faisait pas son âge. Avec lui je me sentais en sécurité. Nous étions vraiment des complices et si je ne l'avais pas su, jamais je n'aurais pu penser qu'il aimait les hommes. Sa vie privée était tout à fait invisible.

Il m'annonça que la situation financière des « grands magasins » était catastrophique, qu'il s'attendait à un crack très prochainement.

« Vendez les dix pour cent d'actions que nous avons, nous ramasserons le paquet lorsqu'il sera à terre. »

Nous pensions la même chose, je savais que je pouvais compter sur lui.

Le groupe était maintenant mieux organisé. Alberto Matesti avait remplacé Luigi Bucco et, avec l'aide de deux assistants il arrivait à faire face aux problèmes.

Je m'étais attachée à me libérer en donnant plus de responsabilités aux directeurs. Ceux-ci satisfaits étaient encore plus dévoués à nos affaires.

Le monde changeait, il était nécessaire d'évoluer avec lui. J'avais réussi à faire comprendre à Renato la nécessité de distribuer une partie des profits à tout le personnel.

C'était une grande première en Italie et il me menaça de la foudre des syndicats, tous communistes. Je lui expliquai que cela m'était égal et l'obligeai à envoyer une lettre dans chaque foyer pour leur donner la bonne nouvelle. Comme nous avions une majorité d'hommes dans nos affaires et que les femmes italiennes tiennent les cordons de la bourse, nous n'eûmes aucun problème.

Agnelli était en train de faire une réussite avec Fiat.

Carlo de Benedetti et Silvio Berlusconi commençaient à montrer leurs appétits insatiables.

Mieux dans ma peau je fis de nombreux séjours à Paris et à Londres. Ce brave Arthur avait accepté de prendre sa retraite et j'avais engagé un nouveau « butler » qui, avec sa jeune femme, faisait tout à fait mon affaire. Je fis réaliser un jardin à dominante blanche, avec des rhododendrons, des azalées et des roses. Quelques glycines adossées au mur du fond donnaient en saison un petit air de vacances au soleil du midi. Des haies, une urne, une statue, meublaient ce lieu et permettaient à l'œil de ne pas s'assoupir.

Souvent Paolo m'accompagnait dans mes escapades. Nous nous soûlions de théâtre, de comédies musicales, de ballets, et retournions à Milan régénérés.

Un jour je reçus la visite d'une certaine Judith Caldwell, moulée dans une robe rouge vif trop étroite aux hanches, juchée sur des chaussures blanches à talons hauts, coiffée en pièce montée, un cabas sur l'épaule. Tout en enlevant ses grosses lunettes de soleil en écaille, elle me proposa d'écrire un livre sur Mme Thatcher. Elle était fascinée par ce personnage et m'expliqua qu'elle avait accès à toutes les archives et pourrait produire un ouvrage très documenté.

Je lui demandai pourquoi elle ne cherchait pas plutôt un éditeur anglais. Sa réponse fut claire :

« C'est un livre qui devra sortir en plusieurs langues et j'essaye de monter un « deal » avant de me mettre au travail. »

Cette personne savait ce qu'elle voulait, elle ferait sûrement bon ménage avec Margaret Thatcher.

Elle me donna l'idée de créer une collection concernant les femmes de pouvoir. Elles avaient été relativement nombreuses à travers les siècles. Une bonne recherche nous permettrait de sortir une vingtaine de livres.

Je comprenais l'intérêt de cette journaliste pour le

Premier Ministre anglais. Sa force de caractère était étonnante. Il n'existait aucun problème qu'elle ne sache résoudre. « Maggie » régentait l'Europe, donnait des instructions à Reagan, intimidait les Soviétiques, dirigeait le Commonwealth, réduisait les hooligans au silence, matait les fanatiques irlandais et faisait trembler ses confrères. Elle avait un sens exceptionnel de la droiture morale et de la justice. Comme moi, son père était omniprésent dans ses pensées. Je trouvais passionnante l'idée de raconter sa vie.

Conquise par ce projet, je donnai à Miss Caldwell mon accord et peu de temps après je me rendis à Londres pour signer le contrat.

Le lendemain de mon arrivée, les affaires réglées, j'eus le désir de voir la nouvelle version d'une vieille comédie musicale : *Me and my girl.*

Installée dans un fauteuil j'attendais le lever du rideau lorsque je fus attirée par la nuque d'un monsieur assis deux rangs devant moi. Mince, presque fragile, bien dessinée, les cheveux légèrement grisonnants, la tête un peu penchée, je l'aurais reconnue entre mille !

Jack était à quelques mètres et manifestement seul.

Mon cœur se mit à battre à tout rompre, je l'entendais et mis ma main contre lui pour essayer d'assourdir son bruit. J'étais secouée, j'avais la sensation qu'il allait éclater.

Je me demandais si me trouvant en face de Jack j'aurais le courage de parler ou seulement celui de prendre la fuite. Les yeux clos je me rappelais les moments épars de notre vie commune, puis d'autres mieux ordonnés, plus précis. Notre même goût pour Woody Allen et le jazz des années cinquante. Notre besoin de nature, de lecture, de silence, de musique et de beauté.

De nouveau je ressentis le besoin impérieux de humer son parfum, d'entendre sa voix, son rire, de sentir le doux contact de ses mains sur mon corps. D'un seul coup, clair, exact dans les moindres détails, le souvenir de chaque jour, de chaque heure, de chaque minute que nous avions vécus ensemble se déroula devant mes yeux...

Perdue dans mon rêve je ne vis pas le rideau tomber et les lumières de la salle s'allumer pour l'entracte. Mes voisins se levèrent et je dus me dresser pour les laisser passer.

A la minute où Jack se releva à son tour tout en pivotant vers le fond de la salle, nos regards se croisèrent. La flamme de joie et d'étonnement qui se mit à briller dans ses yeux eut raison de toutes mes angoisses. Ensemble nous quittâmes nos rangs respectifs et dans l'allée qui montait vers la sortie il me prit la main comme si nous ne nous étions jamais quittés.

Nous ne retournâmes pas dans la salle. Sur le trottoir Jack fit signe à un taxi, il me tenait toujours la main lorsqu'il commença à indiquer au chauffeur notre destination, je le regardai intensément et j'entendis ma propre voix prononcer : « St-James Park. »

Dans la voiture il mit son bras autour de moi et le silence fut notre seul compagnon.

Les années avaient passé, mais notre passion était

toujours là, présente, envoûtante, tendre et tumultueuse.

Arrivés à destination, je lui tendis les clés de la maison, il ouvrit la porte d'une main qui ne tremblait pas, m'entraîna vers l'intérieur comme s'il avait toujours vécu ici avec moi, et me fit monter les marches qui menaient à la chambre qui n'attendait que lui.

*

Nous passâmes deux jours de pure béatitude, il me semblait être révélée ou née à nouveau, c'était comme si je recommençais ma vie avec des possibilités différentes. Les choses n'étaient plus tragiques mais pleines d'extases et de nouveautés. Je redécouvris sur mon tempérament tout ce que je croyais avoir enfoui au plus profond de moi depuis le drame de Bellagio.

Nous voulions tout savoir de nous durant ces années écoulées.

Il me parla de Paolo, disant que sûrement il ne le reconnaîtrait plus mais qu'il avait toujours un faible pour ce garçon.

Nous étions en connivence, nous l'avions toujours été depuis notre première rencontre.

Je lui racontai mon enlèvement par un gangster, l'accident, ma psychothérapie, ma visite à Los Angeles...

— Si tu étais restée j'aurais quitté Joyce tout de suite. Pourquoi ne l'as-tu pas fait ? Toujours tes sacrées affaires, tu es vraiment une obsédée. Tu es riche, tu as la chance inouïe de pouvoir faire ce que tu veux et tu t'empoisonnes l'existence avec des règlements de compte et des ancêtres envahissants. Au lieu de vivre mal tes histoires rocambolesques, tu ferais mieux de les écrire et je les tournerais, au moins nous aurions vraiment quelque chose en commun.

— Et toi, qu'as-tu fait ?

— Des films, c'est mon métier, pendant que tu perds ton temps avec des tarés, je raconte parfois des histoires de tarés ! Et il éclata de rire en ébouriffant mes cheveux.

C'était tellement bon de le retrouver.

Au moment de nous séparer à nouveau il me déclara simplement :

— Je voudrais t'arracher à l'Italie, te claquer le visage jusqu'à ce que tu comprennes que ta vie est avec moi et t'emmener pour un voyage sans retour. Depuis que nous nous connaissons, nous ressemblons à deux joueurs dont chacun ne veut hasarder une carte qu'à condition que l'autre avance la sienne. Adieu Bérénice, nous nous aimons comme peu d'êtres sur terre se sont aimés mais jamais je ne te partagerai avec tes ancêtres. Si un jour tu veux que nous vivions ensemble, alors fais-moi signe, mais n'attends pas trop longtemps pour prendre ta décision ou alors je serai trop vieux...

*

Je n'avais rien répondu. J'avais refermé la porte derrière lui et j'étais restée un instant dans le hall avec une telle détresse que j'en avais le vertige et que la maison tournait, vacillait. Seul un grand effort m'empêcha de m'élancer sur ses traces pour lui dire : « Attends-moi, je viens, j'arrive. » Pour moi Jack serait toujours unique, irremplaçable. Dès le premier jour j'avais ressenti entre nous une étrange familiarité, comme si nous nous connaissions de toute éternité et nous retrouvions au terme d'une longue séparation.

Il incarnait mon rêve, mon idéal, il était l'âme sœur que j'avais cru inaccessible, pourtant le destin ne nous avait réunis que pour nous séparer trop vite.

Il voulait que ce soit moi qui le suive, pourquoi ne pouvait-il pas, lui, envisager de s'installer en Europe ? Ses films, il pouvait les faire n'importe où. Il était jaloux de mes ancêtres, de mon passé, de mon travail. En fait, c'était cela qui nous avait empêchés de bien vivre notre amour.

C'est vrai que nous étions les deux joueurs d'une partie qui n'en finissait pas.

Des larmes ruisselaient le long de mes joues, le bonheur et le malheur étaient à nouveau près de moi.

Il voulait que je me soumette, et je ne le pouvais pas.

Oh mon très cher amour, la vie est vide, silencieuse sans toi. Je suis étourdie de chagrin. En dehors de Paolo il n'y a personne au monde qui compte pour moi sinon toi, et il n'y aura jamais personne.

Pourquoi es-tu si entier, pourquoi ne veux-tu pas faire une partie du chemin vers moi ?

*

Je m'arrêtai à Paris avant de regagner Milan pour voir la collection Ungaro, me commander quelques tenues et acheter diverses babioles.

J'étais aussi invitée à l'ouverture de la Biennale des Antiquaires au Grand Palais. A la faveur d'une présentation j'avais fait la connaissance d'un homme charmant, attaché au ministère des Affaires étrangères et auteur dramatique. Raymond Loiseau me faisait rire et chaque fois que je séjournais à Paris je dînais au moins une fois avec lui. Ce soir-là il avait retenu une table à l'Espace Cardin, sur les Champs-Elysées.

Nous nous connaissions depuis plus de deux ans et avions beaucoup de plaisir à nous rencontrer. Une certaine intimité s'était établie entre nous. J'avais besoin de parler à quelqu'un, d'expliquer pourquoi il m'était impossible de suivre l'homme que j'aimais. Il m'écouta avec attention et me dit :

« Ma chère Bérénice, vous êtes tout simplement allergique au mariage. Même si vous n'êtes pas divorcée, la vie que Jack vous offre est celle d'une femme mariée, il veut vous avoir sous le coude tout le temps, et comme vous ne pouvez supporter l'idée d'aliéner votre liberté, vous vous trouvez toutes sortes de raisons pour indéfiniment reculer l'échéance. C'est une figure classique, mais généralement c'est dans l'autre sens que cela se manifeste. Je connais bon nombre de mâles français et étrangers qui pensent et réagissent comme vous. En se mariant ils ont la sensation de s'aliéner, de se diminuer, en général c'est parce qu'ils se sentent incapables d'être fidèles à une femme. Etant polygames de nature, ils veulent continuer leurs petites polissonneries en toute tranquillité.

Chez vous, la motivation du refus est différente.

Il s'agit d'une nécessité absolue de liberté individuelle. Vous ne voulez rien amputer de vous-même en faveur d'un autre. En fait, je crois tout simplement que votre histoire avec Jack est le combat entre deux égoïsmes. Combat tout à fait classique, mais fort peu avoué. L'amour dans un couple ne peut exister que si le don de soi est total des deux côtés, sans regret, sans amertume, dans le désir de donner à l'autre ce qu'il espère. Dès que l'amour est égoïste, il n'existe plus. Le plus souvent l'un aime plus que l'autre, et la déception se glisse insidieusement dans le couple. »

En quelques mots Loiseau m'avait dit l'essentiel. Mélancolique je levais mon verre à sa perspicacité.

*

Nul ne sut jamais quel événement précis déclencha l'écroulement définitif des Grands Magasins Clavier. Peut-être n'y en eut-il aucun. Peut-être plusieurs événements successifs s'additionnèrent-ils et finirent par provoquer une rupture d'équilibre, de même qu'un toit s'effondre lorsque trop de flocons de neige chacun d'un poids infime s'accumulent sur les tuiles...

Michel avait voulu me détruire en entrant dans le capital de nos principaux clients afin de faire pression sur eux pour qu'ils changent de fournisseurs. Ses prises de participation inconsidérées, ses emprunts successifs, ses décisions impulsives, avaient précipité sa propre chute.

Comme dans toutes les débâcles financières portant sur une grosse entreprise, des signes avant-coureurs étaient apparus isolément des semaines auparavant.

Renato les avait rassemblés et m'avait alertée.

Il avait revendu les dix pour cent que nous possédions au moment où le cours était encore élevé. Nous avions écoulé les actions par petits paquets afin de ne pas faire écrouler le cours, mais nous fûmes rapidement suivis par les institutionnels qui, voyant le titre baisser, se délestèrent espérant échapper à la déroute. Un mercredi vers dix heures du matin, la Bourse de Paris ne parvint pas à coter les Grands Magasins Clavier. Les agents de change fournirent une explication dans leur langage habituel : déséquilibre entre l'offre et la demande.

Cela signifiait que les commis avaient reçu tant d'ordres de vente qu'ils ne pouvaient fixer le prix d'exécution, faute d'ordre d'achat en contrepartie. Soixante-dix pour cent du capital était sur le marché. Avec Renato nous donnâmes par téléphone un ordre d'achat pour un nombre d'actions représentant quarante pour cent du capital.

Les cotations reprirent à onze heures.

Nous rachetâmes alors quatre fois ce que nous avions vendu en déboursant la même somme.

Malgré cela la cote continua de tomber et ne se redressa que huit jours plus tard. A ce moment-là nous avions pu acquérir cinquante et un pour cent des grands magasins.

Mon but était enfin atteint. Michel ne pourrait plus me faire de mal, je négocierais ma tranquillité.

*

Aristide m'avait souvent prêché la prudence. « N'oublie pas Bérénice que l'Italie va vivre désormais à l'heure de l'Europe et que tu pourrais à nouveau être en danger. » Il nous avait quittés brutalement d'un infarctus en regardant la télévision ; ce départ avait été une grande souffrance pour Paolo et moi-même parce qu'il nous avait compris et aimés.

Souvent je pensais à tous les sujets dont nous débattions ensemble, où l'avenir du monde et les extravagances de nos contemporains tenaient une grande place, comme lui, je regardais ces évolutions avec lucidité.

Les multinationales étaient devenues non seulement une mode mais une nécessité et les chefs d'entreprises s'agitaient tous azimuts pour devenir des « gros ».

Les participations croisées faisaient florès.

L'eau minérale s'associait avec la voiture et le béton avec la communication. Je ne voyais pas très bien la « synergie » — mot magique utilisé pour justifier les rapprochements entre ces secteurs respectifs — à moins que de petits génies n'aient trouvé le moyen de faire fonctionner les moteurs à l'eau minérale et la possibilité de construire des routes et des immeubles avec du « bla-bla-bla ».

Le monde marchait de plus en plus cul par-dessus tête et ce n'était pas les vociférations des intégristes et les rivalités internationales qui pourraient contribuer à le remettre à l'endroit.

Les faits étant têtus, l'histoire de notre terre aurait dû nous apprendre l'humilité et le bon sens. Pari impossible semblait-il puisque désormais la science nous permettait de mettre au monde des enfants sans parents, et qu'un jour notre planète risquait d'être peuplée de personnages différents, sans passé, sans avenir, sans amour et sans Dieu.

Cette crainte viscérale de l'existence expliquait la prolifération des sectes et le succès extravagant de prédicateurs exaltés s'enrichissant aux dépens de l'angoisse humaine.

L'argent, nerf de la guerre, affluait de tous côtés grâce à l'esprit malin de quelques « golden boys » actionnant un nouveau diable appelé ordinateur. Il était désormais possible d'acheter n'importe quoi à n'importe qui sans jamais sortir un penny. Eux seuls percevaient la commission de leur machiavélisme.

La peur du sida avait remplacé celle du cancer et de la bombe atomique. Après les grandes paniques ancestrales provoquées par la peste, la grippe espagnole et la famine, celle-ci paraissait moins dévastatrice et réservée pour le moment à une minorité.

La nouvelle obsession mondiale était la pollution de la nappe phréatique, des océans, des forêts et de l'air ; que faire devant cette destruction de l'homme par l'homme ? Avec le soutien financier des plus grands pollueurs continuant allègrement à empoisonner la terre entière, des milliers de chercheurs se creusaient la tête et essayaient avec la complicité des journalistes de déclencher une réaction de survie indispensable : le culte du « propre ».

Pendant ce temps-là les médias omniprésents se délectaient de petits faits divers en les manipulant et les gonflant d'une manière démesurée pour en tirer des conclusions politiques, à leur convenance, ignorant volontairement les grands problèmes de notre humanité et passant sous silence les manifestations de chefs d'Etats déments attisant la haine de populations fanatiques et hébétées. La désinformation érigée en système était institutionnalisée.

Toute cette cacophonie absurde et folle ne pouvait

que me convaincre de la possibilité de voir renaître des Attila, des Staline ou des Hitler et du fait que la terre était toujours le lieu privilégié du combat du bien et du mal.

J'avais participé à cette aberration et j'avais poursuivi ma vindicte jusqu'à la victoire, même si parfois, essayant de prendre du recul, je m'étais regardée avec ironie au milieu de ces milliards d'insectes grouillants, déboussolés et courant dans tous les sens pour une durée de vie infinitésimale face à l'éternité.

Enfermée dans mon bureau du sixième, je me demandais ce que Paolo, qui allait avoir seize ans, deviendrait. Comment pourrait-il vivre sur cette planète peuplée d'irresponsables ?

Le jour où je compris qu'il était sûrement un artiste particulièrement doué pour la musique et la peinture, je me sentis rassurée. A travers les arts, peut-être trouverait-il une raison d'exister. En tout cas, il ne traînerait pas derrière lui les chaînes du passé et le poids d'un empire.

*

Bel Soggiorno

J'écartais mes doigts de main pour les sortir de leur torpeur et je rêvais à mon enfance, à ma mère qui chérissait les moindres recoins de cette propriété et qui avait voulu y passer sa lune de miel parce que, disait-elle, « nulle part au monde je ne connais d'endroit plus enchanteur. » Jack aussi s'était laissé pénétrer du charme de ce paradis.

Comme une somnambule je me levai à tâtons et arrivai au milieu du corridor. Au bout se trouvait la chambre de mon père. J'ouvris lentement la porte, j'étais pourtant réveillée mais une intuition absurde me suggérait que j'y trouverais Federico, que j'entendrais sa voix.

La chambre était vide évidemment et rien n'avait changé depuis mon dernier séjour à Bel Soggiorno. Le grand lit double, le superbe valet de nuit, la commode, les deux fauteuils capitonnés, la méridienne devant la cheminée.

J'entrai et m'assis quelques secondes sur le pouf à côté du lit, ma place favorite quand je n'étais qu'une toute petite fille et qu'Alicia et Federico riaient en buvant leur café. Le chagrin m'envahit, je retournai en courant dans mon lit et fermai les yeux pour enfouir au plus profond de moi les joies envolées de mon enfance.

Je m'assoupis un long moment. Lorsque je repris conscience, le soleil était à son zénith, une douce chaleur envahissait la campagne, les fleurs, les arbres, les oiseaux étaient encore là.

Je sortis doucement du lit et descendis à leur rencontre.

En passant près de Maria je l'embrassai lui disant avec une immense tendresse : « Désormais tu me verras souvent ici. »

Enfin je savais ce que je voulais vraiment.

*

L'empire Barzini ne m'intéressait plus.

Devenu une de ces sociétés internationales convoitées, il ferait forcément l'objet de nouvelles luttes acharnées. Je serais fatalement un jour ou l'autre à la merci des « raideurs du marché ». Les offres et surtout les offres hostiles pleuvraient de tous côtés.

Le monde avait changé. Les nouveaux conquérants arrivaient en rangs serrés et tenaient le haut du pavé, j'étais sûre qu'ils surenchériraient les uns sur les autres.

Je faisais confiance à Renato pour organiser mon propre sabordage.

J'allais divorcer des éditions Barzini, comme je l'avais fait de Michel, avec force et détermination.

Le produit de cette vente serait consacré à la création d'une fondation « Federico Barzini » en faveur des orphelins. Je veillerais personnellement au placement et à l'utilisation des capitaux. Mener jusqu'à l'âge adulte dans les meilleures conditions possibles une bonne centaine de malheureux sans famille était mon objectif. En cela je resterais fidèle à mes ancêtres. L'empire ne serait pas stérile.

Dans quelques années Paolo prendrait soin à son tour du musée de Pietro et plus tard de cette nouvelle fondation. La succession était assurée.

Nous avions largement de quoi vivre avec les revenus des immeubles. Merci à tous ceux dont j'étais issue et qui nous permettaient de connaître la sécurité.

*

Je repensais à la lettre de Federico dans laquelle il m'avait expliqué que je n'avais pas de devoirs vis-à-vis de mes ancêtres, que j'étais libre tout à fait libre de faire ce que je souhaiterais.

Il me connaissait bien.

L'amour que j'avais pour lui à l'époque me semblait lié totalement à ce qu'il avait été lui-même. J'avais vécu pour lui et à travers lui et je pensais qu'il n'était pas tout à fait mort puisque je continuais à vivre dans son bureau, avec ses odeurs, ses gestes, sa voix, ses réactions présentes sans cesse. Je comprenais enfin la phrase de Jack : « Je te veux sans ancêtres », parce qu'il n'osait pas me dire : « Je t'aime mais tant que le fantôme de ton père sera présent entre nous, notre propre histoire n'existera pas. »

Je m'étais battue pendant douze ans, j'étais arrivée à ce que j'avais souhaité, mais Federico n'était pas revenu.

Demain je brûlerais les dossiers et le contenu du coffret.

Quelque part un homme m'attendait et nous nous aimions.

*

C'est à pied à travers ces endroits chéris de mon enfance que je m'acheminais vers la poste de San Giminiano pour envoyer un télégramme.

Dans quelques jours je serais en Californie.

---

mai 1990

Achevé d'imprimer
par Maury-Eurolivres S.A. - 45300 Manchecourt
le 1er octobre 1992
N° Imprimeur : 92/09/M0935
Dépôt légal : 3e trimestre 1992
N° ISBN : 2-909709-01-9